저자

김기훈 現 ㈜ 쎄듀 대표이사
現 메가스터디 영어영역 대표강사
前 서울특별시 교육청 외국어 교육정책자문위원회 위원

저서 천일문 / 천일문 Training Book / 초등코치 천일문
천일문 GRAMMAR / 첫단추 BASIC / 쎄듀 본영어
어휘끝 / 어법끝 / 거침없이 Writing / 쓰작 / 리딩 플랫폼
리딩 릴레이 / Grammar Q / Reading Q / Listening Q 등

쎄듀 영어교육연구센터
쎄듀 영어교육센터는 영어 콘텐츠에 대한 전문지식과 경험을 바탕으로
최고의 교육 콘텐츠를 만들고자 최선의 노력을 다하는 전문가 집단입니다.

인지영 책임연구원

원고에 도움을 주신 분 한정은

마케팅	콘텐츠 마케팅 사업본부
영업	문병구
제작	정승호
인디자인 편집	올댓에디팅
디자인	윤혜영
영문교열	Stephen Daniel White

Start

3

What's
와츠
Grammar

왓츠 Grammar Curriculum

< **왓츠 Grammar** > 시리즈는 학습 단계에 따라 총 6권으로 구성되어 있습니다.
학습자의 인지 수준에 맞게 문법 설명을 세분화하였고, 단계적으로 학습할 수 있도록 설계하였습니다.

Start 1~3권은 초등 영문법을 처음 시작하는 학생들을 위해 개발되었으며,
초등 교과 과정의 필수 기초 문법을 담고 있습니다.
Plus 1~3권은 **초등 교과 과정의** 필수 기초 문법 및 심화 문법을 담고 있습니다.

Start와 Plus 모두 1권에서 배운 내용이 2권, 3권에도 반복 등장하여 누적 학습이 가능하도록 했습니다.

*하단 표에서 각 권에 새로 등장하는 개념에는 색으로 표시하였습니다.

Start 1-3

☑ 교육부 지정 초등 필수 문법 3~4학년 대상 (영어 교과서 기준)
☑ 초등 영어 문법을 처음 시작할 때

	Start 1		Start 2		Start 3
1	명사	1	명사와 관사	1	대명사
2	대명사	2	대명사와 be동사	2	be동사와 일반동사
3	be동사	3	일반동사	3	현재진행형
4	be동사의 부정문과 의문문	4	의문사 의문문	4	숫자 표현과 비인칭 주어 it
5	지시대명사	5	조동사 can	5	의문사 의문문
6	일반동사	6	현재진행형	6	형용사와 부사
7	일반동사의 부정문과 의문문	7	명령문과 제안문	7	전치사

Plus 1-3

☑ 교육부 지정 초등 필수 문법 5~6학년 대상 (영어 교과서 기준)
☑ 3~4학년 문법 사항 복습 및 초등 필수 영문법 전 과정을 학습하고자 할 때

	Plus1		Plus 2		Plus 3
1	명사와 관사	1	현재진행형	1	품사
2	대명사	2	미래시제	2	시제
3	be동사	3	과거시제	3	조동사
4	일반동사	4	조동사 can, may	4	to부정사와 동명사
5	형용사	5	의문사	5	비교급과 최상급
6	부사	6	여러 가지 문장	6	접속사
7	전치사	7	문장 형식		

? 초등 시기, 영문법 학습 왜 중요할까요?

초등, 중등, 고등을 거치면서 배워야 할 문법 사항은 계속 늘어납니다.
같은 문법 사항이더라도 중등, 고등으로 갈수록 개념이 확장되며,
점점 복잡한 문장이나 문맥 속에서 파악해야 하는 문제들이 출제됩니다.

초등에서 배운 문법 사항이 중등, 고등에서도 계속 누적되어 나오기 때문에
이 시기에 기초를 탄탄하게 잘 쌓지 못하면 빈틈이 생기기 쉽습니다.

〈왓츠 Grammar〉는 이러한 빈틈이 절대 생기지 않도록,
초등 교과 과정에서 반드시 배워야 하는 문법 사항을
누적·반복 학습이 가능한 나선형 커리큘럼으로 구성하였습니다.
또한, 갑자기 어려워지는 문제나 많은 문법 사항이 한꺼번에 나오지 않도록 **세심하게 난이도를 조정**하였습니다.

〈왓츠 Grammar〉는 처음 영어 문법을 배우는 아이들에게 자신감을 키워 줄 가장 좋은 선택이 될 것입니다.

🔍 지시대명사의 초등 ▸ 중등 ▸ 고등 차이 살펴보기

초등 What's **this**? 이것은 무엇이니? / **This** is my friend. 얘는 내 친구예요.

> 지시대명사 자체의 의미,
> 문장에서의 쓰임을
> 간결하게 다룹니다.

중등 [내신 기출] 다음 대화의 밑줄 친 부분 중 어법상 틀린 것은?

A: My favorite subject is math.
B: Really? I ① don't like math. It is difficult for me.
A: **That** ② **are**(→ **is**) not a problem. I can help you.
B: Thank you. You ③ get good grades in all subjects. Right?

[풀이] That은 '하나'를 가리키므로 뒤에 be동사 is가 와야 합니다.

> 여러 문법 항목들이
> 뒤섞인 문맥 안에서
> 지시대명사가 주어일 때
> 연결되는 동사까지 함께
> 파악할 수 있어야 합니다.

고등 [내신 기출] 잘못된 부분을 찾아 앞뒤 문맥에 맞게 고쳐 쓰시오.

People were always running up and down the stairs, and the television was left on all day. None of **this**(→ **these**) seemed to bother Kate's parents, they wandered around the house chatting with their kids and greeting their visitors.

[풀이] 여기서 지시대명사는 앞에 나온 내용 전체를 가리키고 있는데, '사람들이 계단을 오르락내리락 하는 것', '텔레비전이 하루 종일 켜져 있는 것' 두 가지를 가리키므로 '여럿'을 가리키는 these로 고쳐야 합니다.

> 지시대명사가
> '사람, 사물'뿐만 아니라
> 문장 전체를 가리킬 수
> 있다는 확장된 문법
> 개념을 알아야 합니다.

Components 구성과 특징

Step 1 문법 개념 파악하기

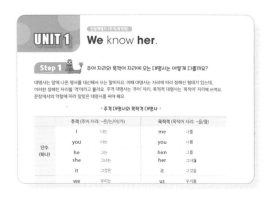

- 한눈에 들어오는 표와 친절하고 자세한 설명을 통해 초등 필수 문법 개념을 쉽게 이해할 수 있어요.

- 문법을 처음 접하는 친구들도 충분히 이해할 수 있도록, 문법 항목을 한 번에 하나씩 공부해요.

Tip! 말풍선과 체크 부분을 놓치지 마세요.
헷갈리기 쉽거나 주의해야 할 내용을 담고 있어요.

Step 2 개념 적용하여 문제 풀기

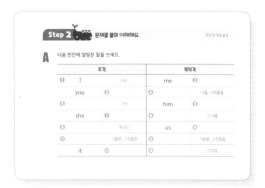

- 다양한 유형의 문제를 풀면서 문법의 기본 개념을 잘 이해했는지 확인해볼 수 있어요.

- 갑자기 어려운 문제가 등장하지 않도록, 세심하게 난이도를 조정했어요.
차근차근 풀어나가기만 하면 돼요.

Tip! 틀린 문제는 꼭 꼼꼼히 확인하세요.
친절하고 자세한 해설이 도와줄 거예요.

Step 3 문장에 적용 및 쓰기로 완성하기

- 배운 문법을 문장에 적용하고 직접 써보세요.
문장 전체를 쓰는 연습을 통해
엉어 문장 구소를 자연스럽게 학습할 수 있어요.
문법은 물론 서술형 문제도 이제 어렵지 않아요!

Tip! 어순에 유의하며 써보세요.
주어진 단어를 배열하여 문장을 완성하다보면
영어 문장에 대한 감을 익힐 수 있을 거예요.

3단계 누적 연습문제로 완벽하게 복습하기

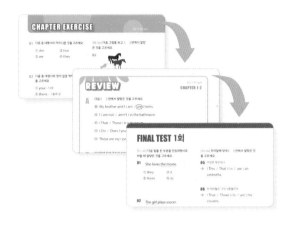

● 챕터별 연습문제 → 두 챕터씩 묶은 누적 REVIEW
→ FINAL TEST 2회분
3단계에 걸친 문제 풀이로 완벽하게 복습해요.

Tip! FINAL TEST 마지막 페이지에 있는 표를 활용해보세요.
틀린 문제가 어느 챕터에 해당하는지 확인하고,
나의 약점을 보완할 수 있어요.

틀린 문제가 어느 챕터에 해당하는지 확인하고, 복습해보세요.

1	2	3	4	5
Ch1	Ch1	Ch1	Ch1	Ch1
11	12	13	14	15
Ch3	Ch3	Ch3	Ch3	Ch3
21	22	23	24	25

Step 5 워크북 + 단어 쓰기 연습지로 마무리하기

UNIT별 드릴 형식의 추가 문제와 문법을
문장에 적용해보는 Grammar in Sentences로
각 챕터에서 배운 내용을 충분히 복습해 보세요.

UNIT별 초등 필수 영단어를 한 번 더 확인하고,
따라 쓰는 연습을 해보세요. 단어의 철자와 뜻을
자연스럽게 외울 수 있어요.

자세한 풀이 +

무료 부가서비스

무료로 제공되는 부가서비스로 완벽히 복습하세요.
www.cedubook.com

① 단어 리스트 ② 단어 테스트

영어 문장의 우리말 뜻과
친절하고 자세한 해설을
수록하여 혼자서도 쉽고
재미있게 공부할 수 있어요.

Contents 차례

책속책 | WORKBOOK
단어 쓰기 연습지

Study Plan

★ 9주 완성!

주 5일 학습기준이며, 학습 패턴 및 시간에 따라 **Study Plan**을 조정할 수 있어요.

*CH = CHAPTER, U = UNIT

	1일차	**2일차**	**3일차**	**4일차**	**5일차**
1주차	CH1 U1 Step 1, Step 2	CH1 U1 Step 3, 워크북	CH1 U2 Step 1, Step 2	CH1 U2 Step 3, 워크북	CH1 U3 Step 1, Step 2
2주차	CH1 U3 Step 3, 워크북	**CH1 Exercise**	CH2 U1 Step 1, Step 2	CH2 U1 Step 3, 워크북	CH2 U2 Step 1, Step 2
3주차	CH2 U2 Step 3, 워크북	CH2 U3 Step 1, Step 2	CH2 U3 Step 3, 워크북	**CH2 Exercise Review CH1-2**	CH3 U1 Step 1, Step 2
4주차	CH3 U1 Step 3, 워크북	CH3 U2 Step 1, Step 2	CH3 U2 Step 3, 워크북	**CH3 Exercise Review CH2-3**	CH4 U1 Step 1, Step 2
5주차	CH4 U1 Step 3, 워크북	CH4 U2 Step 1, Step 2	CH4 U2 Step 3, 워크북	CH4 U3 Step 1, Step 2	CH4 U3 Step 3, 워크북
6주차	**CH4 Exercise Review CH3-4**	CH5 U1 Step 1, Step 2	CH5 U1 Step 3, 워크북	CH5 U2 Step 1, Step 2	CH5 U2 Step 3, 워크북
7주차	CH5 U3 Step 1, Step 2	CH5 U3 Step 3, 워크북	**CH5 Exercise Review CH4-5**	CH6 U1 Step 1, Step 2	CH6 U1 Step 3, 워크북
8주차	CH6 U2 Step 1, Step 2	CH6 U2 Step 3, 워크북	**CH6 Exercise Review CH5-6**	CH7 U1 Step 1, Step 2	CH7 U1 Step 3, 워크북
9주차	CH7 U2 Step 1, Step 2	CH7 U2 Step 3, 워크북	**CH7 Exercise Review CH6-7**	**FINAL TEST 1회**	**FINAL TEST 2회**

문장의 기본 요소

문장을 이루는 기본 요소는 주어와 동사예요.
동사의 의미와 성격에 따라 그 뒤에 목적어나 보어 등이 오기도 해요.
문장은 이러한 요소들이 규칙에 따라 각각의 자리에 쓰일 때 만들어져요.

문장을 이루는 기본 단위

주어 ~은/는/이/가	동사 ~이다, ~을 하다	목적어 ~을/를	보어 ~인, ~하는
명사, 대명사	be동사, 일반동사	명사, 대명사	형용사

주어 ☞ CHAPTER 1

문장의 주인이 되는 말이에요. 명사나 대명사가 주어 역할을 해요.

The boy is my brother. 그 남자아이는 내 남동생이다.
　주어

동사 ☞ CHAPTER 2

주어가 하는 행동이나 동작, 또는 주어의 상태를 나타내요.
동사 자리에는 be동사나 일반동사가 와요.

The students **study** English. 그 학생들은 영어를 공부한다.
　　　　　　동사

목적어 ☞ CHAPTER 1

동사가 나타내는 동작의 대상이 되는 말이에요. 명사나 대명사가 목적어 역할을 해요.
대명사를 쓸 경우, 반드시 목적격으로 써야 해요.

I like **cats**. 나는 고양이를 좋아한다.　　We know **her**. 우리는 그녀를 안다.
　　목적어(명사)　　　　　　　　　　　　　　목적어(대명사)

보어 ☞ CHAPTER 6

주어나 목적어의 상태를 나타내거나 의미를 보충해서 설명해줘요.
보어 자리에는 명사와 형용사가 올 수 있어요.

Jenny and I are friends. 제니와 나는 친구이다.　　**We are happy.** 우리는 행복하다.
　주어　　　　　　보어 (주어 Jenny and I를 보충 설명)　　주어　　보어 (주어 We의 상태)

CHAPTER 1

대명사

학습 목표

인칭대명사 (주격/목적격)

We know her.

Step 1 주어 자리와 목적어 자리에 오는 대명사는 어떻게 다를까요?

대명사는 앞에 나온 명사를 대신해서 쓰는 말이지요. 이때 대명사는 자리에 따라 정해진 형태가 있는데,
이러한 정해진 자리를 '격'이라고 불러요. 주격 대명사는 '주어' 자리, 목적격 대명사는 '목적어' 자리에 쓰여요.
문장에서의 역할에 따라 알맞은 대명사를 써야 해요.

＋ 주격 대명사와 목적격 대명사 ＋

	주격 (주어 자리: ~은/는/이/가)		목적격 (목적어 자리: ~을/를)	
단수 **(하나)**	I	나는	me	나를
	you	너는	you	너를
	he	그는	him	그를
	she	그녀는	her	그녀를
	it	그것은	it	그것을
복수 **(여럿)**	we	우리는	us	우리를
	you	너희들은	you	너희들을
	they	그들은 그것들은	them	그들을 그것들을

＋ 주격 대명사와 목적격 대명사의 쓰임 ＋

주격 대명사와 목적격 대명사

Chris / likes / **the watch.**
크리스는 / 좋아한다 / 그 손목시계를.
(주어 자리)　　　　(목적어 자리)

He / likes / it.

My friends / like / **the teacher.**
내 친구들은 / 좋아한다 / 그 선생님을.
(주어 자리)　　　　(목적어 자리)

They / like / her.

A 다음 빈칸에 알맞은 말을 쓰세요.

주격		목적격	
❶ I	나는	me	❷
you	❸	❹	너를, 너희들을
❺	그는	him	❻
she	❼	❽	그녀를
❾	우리는	us	❿
⓫	그들은, 그것들은	⓬	그들을, 그것들을
it	⓭	⓮	그것을

B 다음 ( ) 안에서 알맞은 것을 고르세요.

❶ Judy has two brothers. (Them / (They)) are twins.
주디는 형제가 두 명 있다. 그들은 쌍둥이다.

❷ (She / Her) has a bike. She loves (it / them).
그녀는 자전거가 있다. 그녀는 그것을 정말 좋아한다.

❸ I have cookies. Do you want (them / they)?
나는 쿠키들이 있어. 너는 그것들을 원하니?

❹ Jamie and (I / me) like chocolate cakes.
제이미와 나는 초콜릿 케이크를 좋아한다.

❺ I know (he / him). (He / Him) is my neighbor.
나는 그를 안다. 그는 나의 이웃이다.

C 우리말에 맞게 보기에서 알맞은 말을 골라 쓰세요.

보기   it   he   you   us   her   they   we   me

① 우리는 화가이다.   → __We__ are artists.

② 사람들은 그녀를 좋아한다.   → People like _____.

③ 내 친구들은 너를 안다.   → My friends know _____.

④ 나는 그것이 필요하다.   → I need _____.

⑤ 그것들은 무겁다.   → _____ are heavy.

⑥ 부모님은 나를 사랑하신다.   → My parents love _____.

⑦ 닉은 우리를 방문한다.   → Nick visits _____.

⑧ 그는 바쁘다.   → _____ is busy.

D 다음 밑줄 친 부분을 대신해서 쓸 수 있는 대명사를 ( ) 안에서 고르세요.

① The man plays soccer.   ((He) / Him)

② I miss my grandma.   (she / her)

③ Jimin and Yuri are tall.   (They / Them)

④ The zebra runs fast.   (It / They)

⑤ We love our cats.   (him / them)

⑥ We know the boy.   (her / him)

⑦ The books are popular.   (They / Them)

⑧ You and I are good friends.   (We / Us)

A 알맞은 것에 체크하고, 문장을 완성하세요.

❶ [He] [knows] me . ☐ I ☑ me

❷ [love] [Korean food] . ☐ Us ☐ We

❸ [Lily] [remembers] . ☐ he ☐ him

❹ [has] [books] . ☐ Her ☐ She

❺ [My teacher] [helps] . ☐ us ☐ we

B 우리말에 맞게 알맞은 단어를 넣고, 전체 문장을 다시 쓰세요.

❶ Smith(스미스) 씨는 우리를 가르치신다. 그는 수학 선생님이다.

[teaches] us [Mr. Smith] . He is a math teacher.

→ Mr. Smith teaches us. He is a math teacher.

❷ 그들은 그 영화를 좋아한다. 그것은 재미있다.

[like] [the movie] . It is fun.

→ _____

❸ Alex(알렉스)는 자동차가 있다. 그는 그것을 세차한다.

Alex has a car. [washes] [He] .

→ _____

UNIT 2

The book is **mine**.

Step 1 소유격 대명사와 소유대명사는 어떻게 다를까요?

소유격 대명사와 소유대명사는 이름이 비슷해서 헷갈리기 쉬워요.
소유격 대명사는 '~의'라는 뜻으로 명사 앞에 쓰여 누구의 것인지 나타내는 말이고,
소유대명사는 '~의 것'이라는 뜻이에요. 소유대명사는 「소유격 대명사+명사」로 바꿔 쓸 수 있어요.

✛ 소유격 대명사와 소유대명사 ✛

	주격	소유격 (~의)		소유대명사 (~의 것)	
단수 (하나)	I	**my**	나의	**mine**	나의 것
	you	**your**	너의	**yours**	너의 것
	he	**his**	그의	**his**	그의 것
	she	**her**	그녀의	**hers**	그녀의 것
	it	**its**	그것의	-	-
복수 (여럿)	we	**our**	우리의	**ours**	우리의 것
	you	**your**	너희들의	**yours**	너희들의 것
	they	**their**	그들의, 그것들의	**theirs**	그들의 것, 그것들의 것

> it은 소유대명사가 없어요.

✛ 소유격 대명사와 소유대명사의 쓰임 ✛

소유격 대명사 + 명사 = 소유대명사	
my bag 나의 가방	= mine
your pencils 너의 연필들	= yours
his bike 그의 자전거	= his
her house 그녀의 집	= hers
our school 우리의 학교	– ours
your names 너희들의 이름	= yours
their children 그들의 아이들	= theirs

These are **your pencils**.
이것들은 너의 연필들이다.

The pencils are **yours**.
그 연필들은 너의 것이다.

That Is **hls bike**.
저것은 그의 자전거이다.

The bike is **his**.
그 자전거는 그의 것이다.

✔체크 소유격은 명사와 함께 쓰이지만, 소유대명사는 명사 없이 혼자서 쓰여요.

A 다음 빈칸에 알맞은 말을 쓰세요.

소유격		소유대명사	
my	나의	❶ mine	나의 것
❷	우리의	ours	❸
your	너의, 너희들의	❹	너의 것, 너희들의 것
his	❺	❻	그의 것
❼	그녀의	hers	❽
its	❾	-	-
❿	그들의, 그것들의	theirs	그들의 것, 그것들의 것

B 다음 ( ) 안에서 알맞은 것을 고르세요.

❶ (Your / Yours) idea is great.　　　　네 아이디어는 아주 좋다.

❷ Brian is (my / mine) cousin.　　　　브라이언은 내 사촌이다.

❸ (It / Its) fur is soft.　　　　그것의 털은 부드럽다.

❹ The brown jacket is (him / his).　　　　그 갈색 재킷은 그의 것이다.

❺ I like (them / their) songs.　　　　나는 그들의 노래들을 좋아한다.

❻ (Our / Ours) father is a writer.　　　　우리 아버지는 작가이시다.

❼ The car is (them / theirs).　　　　그 차는 그들의 것이다.

❽ (She / Her) voice is beautiful.　　　　그녀의 목소리는 아름답다.

❾ The computer is not (ours / us).　　　　그 컴퓨터는 우리의 것이 아니다.

C 다음 밑줄 친 부분을 바르게 고쳐 쓰세요.

❶ <u>She</u> eyes are blue. 그녀의 눈은 파랗다.　　→ _Her_

❷ The scissors are <u>my</u>. 그 가위는 내 것이다.　　→ _____

❸ They clean <u>theirs</u> house. 그들은 그들의 집을 청소한다. → _____

❹ I like <u>yours</u> necklace. 나는 네 목걸이가 마음에 들어. → _____

❺ <u>It's</u> ears are big. 그것의 귀는 크다.　　→ _____

❻ The soccer ball is <u>he</u>. 그 축구공은 그의 것이다. → _____

❼ That is <u>ours</u> school. 저것은 우리의 학교이다. → _____

❽ The gift is not <u>your</u>. 그 선물은 네 것이 아니다. → _____

D 다음 주어진 단어를 빈칸에 알맞은 형태로 바꿔 쓰세요.

❶ I like _its_ color. (it)

❷ This is _____ garden. (he)

❸ The blue jeans are _____. (I)

❹ Tim and I like _____ story. (she)

❺ The house is _____. (they)

❻ _____ glasses are on the table. (you)

❼ The yellow car is _____. (she)

❽ _____ nose is long. (it)

❾ Mr. Taylor is _____ English teacher. (we)

A 알맞은 것에 체크하고, 문장을 완성하세요.

❶ | The shoes | are | his   . ☐ he ☑ his

❷ | eyes | are | big . ☐ It ☐ Its

❸ | People | like | songs . ☐ theirs ☐ their

❹ | The man | is | uncle . ☐ her ☐ hers

❺ | The computer | isn't | . ☐ our ☐ ours

B 우리말에 맞게 알맞은 단어를 넣고, 전체 문장을 다시 쓰세요.

❶ 그의 손은 더럽다.

| hands | dirty | are | His   .

→   His hands are dirty.

❷ 그 표는 너의 것이다.

| is | The ticket .

→ _____

❸ 우리는 그들의 도움이 필요하다.

| need | We | help .

→ _____

UNIT 3

That is my book.

Step 1 지시대명사가 무엇인지 알아볼까요?

지시대명사는 '이것(들)', '저것(들)'의 의미로 사람, 동물, 장소, 사물을 가리키는 말이에요.
this와 these는 가까이 있는 것을 가리키고, that과 those는 멀리 있는 것을 가리켜요.

+ 지시대명사 +

	This	(가까이 있는) 이것, 이 사람	 **This is** my basketball. 이것은 내 농구공이야.
단수 (하나)	That	(멀리 있는) 저것, 저 사람	**That is** my basketball. 저것은 내 농구공이야. = That's
복수 (여럿)	These	(가까이 있는) 이것들, 이 사람들	**These are** her friends. 이 사람들은 그녀의 친구들이야.
	Those	(멀리 있는) 저것들, 저 사람들	**Those are** her friends. 저 사람들은 그녀의 친구들이야.

✔체크 **This is a/an+단수 명사, That is a/an+단수 명사**
이때, 단수 명사 앞에 소유격 대명사가 오면 a나 an은 함께 쓸 수 없어요.
This is **a my** book. (X) This is **a** book. (O) This is **my** book. (O)

✔체크 **These are+복수 명사, Those are+복수 명사**
These와 Those는 모두 '여럿'을 가리키므로 are 뒤에 복수 명사가 와요.
These are my **teacher**. (X) These are my **teachers**. (O)

A 우리말에 맞게 ( ) 안에서 알맞은 것을 고르세요.

❶ (**This** / These) is my friend. — 이 사람은 내 친구이다.

❷ (That / Those) are his kites. — 저것들은 그의 연들이다.

❸ (That / This) is a new building. — 저것은 새 건물이다.

❹ (This / These) is my desk. — 이것은 내 책상이다.

❺ (This / That) is a river. — 저것은 강이다.

❻ (This / These) are her umbrellas. — 이것들은 그녀의 우산들이다.

❼ (Those / These) are her classmates. — 저 아이들은 그녀의 반 친구들이다.

❽ (This / These) are his gloves. — 이것들은 그의 장갑이다.

B 우리말에 맞게 빈칸에 알맞은 말을 쓰세요.

❶ 저것은 박물관이다.

→ ___That___ ___is___ a museum.

❷ 저것들은 너의 공책들이다.

→ _____ _____ your notebooks.

❸ 이분은 나의 삼촌이다.

→ _____ _____ my uncle.

❹ 이것들은 그녀의 여행 가방들이다.

→ _____ _____ her suitcases.

❺ 저 사람들은 간호사들이다.

→ _____ _____ nurses.

C 우리말에 맞게 밑줄 친 부분을 바르게 고쳐 쓰세요.

❶ <u>This</u> are vegetables. 이것들은 채소들이다. → These

❷ Those <u>is</u> basketball players. 저 사람들은 농구선수들이다. → _____

❸ <u>This</u> is my teacher. 저분은 나의 선생님이다. → _____

❹ <u>That</u> are turtles. 저것들은 거북이들이다. → _____

❺ <u>These</u> is his computer. 이것은 그의 컴퓨터이다. → _____

❻ This <u>are</u> my grandma. 이분은 나의 할머니이다. → _____

D 다음 그림을 보고, 보기의 단어를 이용하여 문장을 완성하세요.

1

2

3

4

5

6

| 보기 | this | that | these | those |

❶ ___This___ ___is___ my soccer ball.

❷ _____ _____ his house.

❸ _____ _____ her cat.

❹ _____ _____ our dogs.

❺ _____ _____ her dad.

❻ _____ _____ their boxes.

A 알맞은 것에 체크하고, 문장을 완성하세요.

❶ These   are   [my shoes] .   ☐ This is   ☑ These are

❷ [a hospital] .   ☐ That is   ☐ Those are

❸ [his cars] .   ☐ This is   ☐ Those are

❹ [my cousin] .   ☐ This is   ☐ These are

❺ [their parents] .   ☐ That is   ☐ These are

B 우리말에 맞게 알맞은 단어를 넣고, 전체 문장을 다시 쓰세요.

❶ 저 사람들은 그의 형제들이다.

[brothers]   [his]   Those are   .

→ Those are his brothers.

❷ 저것은 너의 칫솔이다.

[toothbrush]   [your] .

→ _____

❸ 이것들은 내 쿠키들이다.

[my]   [cookies] .

→ _____

CHAPTER EXERCISE

01 다음 중 대명사의 격이 <u>다른</u> 것을 고르세요.

① she　　　② him
③ we　　　④ they

02 다음 중 대명사와 뜻이 <u>잘못</u> 짝지어진 것을 고르세요.

① your - 너의
② theirs - 그들의 것
③ us - 우리는
④ its - 그것의

03 다음 중 짝지어진 단어의 관계가 <u>다른</u> 것을 고르세요.

① I - mine　　　② we - our
③ you - your　　④ she - her

04 다음 빈칸에 들어갈 말이 바르게 짝지어진 것을 고르세요.

· _____ name is Ben.
· The cake is _____ .

① Him - your　　② His - you
③ His - yours　　④ He - yours

[05~06] 다음 그림을 보고, ( ) 안에서 알맞은 것을 고르세요.

05

(These / Those) are horses.
(They / Their) color is brown.

06

(This / That) is my aunt.
(She / Her) works at a flower shop.

[07~09] 다음 ( ) 안에서 알맞은 것을 고르세요.

07 I like (your / you're) shoes.

08 Look at the puppies!
(It / They) are cute.

09 Sam has a sister.
(She / Her) wears glasses.

10 다음 밑줄 친 대명사의 격이 다른 것을 고르세요.

① The socks are <u>mine</u>.

② That is <u>your</u> wallet.

③ The house is <u>hers</u>.

④ The black hat is <u>his</u>.

[11~13] 다음 밑줄 친 부분을 대신해서 쓸 수 있는 대명사를 쓰세요.

11 <u>Sena and I</u> are vets.
세나와 나는 수의사이다.

➜ _____

12 I like <u>David and Luke</u>.
나는 데이비드와 루크를 좋아한다.

➜ _____

13 He washes <u>his</u> car.
그는 그의 차를 세차한다.

➜ _____

[14~15] 다음 빈칸에 들어갈 말로 알맞지 <u>않은</u> 것을 고르세요.

14 _____ eyes are blue.

① Her   ② His

③ Ours   ④ My

15 The pizza is _____.

① your   ② hers

③ theirs   ④ ours

[16~17] 다음 밑줄 친 부분이 <u>잘못된</u> 것을 고르세요.

16 ① I miss <u>you</u>.

② We know <u>his</u>.

③ Our neighbors help <u>us</u>.

④ Amy visits <u>them</u> on Sunday.

17 ① <u>Those are</u> frogs.

② <u>These is</u> tulips.

③ <u>That is</u> his son.

④ <u>This is</u> your sweater.

[18~21] 우리말에 맞게 밑줄 친 부분을 바르게 고쳐 쓰세요.

18 This <u>is</u> chocolate cookies.

이것들은 초콜릿 쿠키들이다.

→ _____

19 <u>Hers</u> car is blue.

그녀의 차는 파란색이다.

→ _____

20 <u>We</u> uncle is a nurse.

우리 삼촌은 간호사이다.

→ _____

21 He has a puppy. <u>It</u> color is gray.

그는 강아지가 있다. 그것의 색깔은 회색이다.

→ _____

[22~25] 우리말에 맞게 빈칸에 알맞은 대명사를 넣어 문장을 완성하세요.

22 그의 누나는 나를 안다.

→ _____ sister knows

_____ .

23 네 재킷은 내 방에 있어.

→ _____ jacket is in _____

room.

24 Mike(마이크)는 고양이 두 마리가 있다.

그는 그것들을 좋아한다.

→ Mike has two cats.

_____ likes _____ .

25 이것은 그녀의 샌드위치이다.

→ _____ is _____

sandwich.

CHAPTER 2

be동사와 일반동사

학습 목표

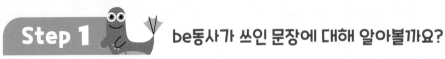

be동사 현재형 긍정문/부정문/의문문

UNIT 1 It **is** an umbrella.

Step 1 be동사가 쓰인 문장에 대해 알아볼까요?

be동사는 '~이다, (~에) 있다'라는 뜻을 나타내는데, 주어에 따라 다른 am, are, is의 세 가지 모양이 있어요.
부정문은 be동사 뒤에 not을 넣고, 의문문은 주어와 be동사의 순서를 바꿔 주기만 하면 돼요.

＋ be동사의 긍정문 ＋

단수 (하나)			복수 (여럿)		
I	am	= I'm	We	are	= We're
You(너)	are	= You're	You(너희들)	are	= You're
She/He/It	is	= She/He/It's	They	are	= They're

＋ be동사의 부정문: be동사 + not ＋

> I am not은 I'm not 으로 줄여 써요.

단수 (하나)			복수 (여럿)		
I	am not	= I'm not	We	are not	= We aren't
You	are not	= You aren't	You	are not	= You aren't
She/He/It	is not	= She/He/It isn't	They	are not	= They aren't

＋ be동사의 Yes/No 의문문 ＋

	질문	Yes로 대답 (긍정) 응, 그래.	No로 대답 (부정) 아니, 그렇지 않아.
단수 (하나)	Are you ~?	Yes, I am.	No, I'm not.
	Is he/she/it ~?	Yes, he/she/it is.	No, he/she/it isn't.
복수 (여럿)	Are we ~?	Yes, you are.	No, you aren't.
	Are you ~?	Yes, we are.	No, we aren't.
	Are they ~?	Yes, they are.	No, they aren't.

✔체크 주어가 명사인 질문에 대답할 때는 주어를 알맞은 대명사로 바꿔 대답해야 해요.
　　　Q: Are your shoes new? (네 신발은 새것이니?)
　　　A: Yes, they are. (응, 그래.)

A 다음 보기에서 알맞은 말을 골라 문장을 완성하세요.

| 보기 | is | isn't | are | aren't |

① Liz ___is___ a vet.

She ___isn't___ a police officer.

② The turtle _____ slow.

It _____ fast.

③ Jake and I _____ cooks.

We _____ doctors.

④ The dishes _____ dirty.

They _____ clean.

B 다음 문장을 의문문으로 바꿀 때, 빈칸에 알맞은 말을 쓰세요.

① Justin is a singer. → ___Is Justin___ a singer?

② The puppies are brown. → _____ brown?

③ The milk is cold. → _____ cold?

④ Those are her glasses. → _____ her glasses?

⑤ The cup is on the table. → _____ on the table?

C 다음 그림을 보고, 빈칸에 알맞은 말을 넣어 대화를 완성하세요.

1  **2**  **3**

❶ **Q** _____Is_____ Nick a designer?

    A No, _____he_____ _____isn't_____ . He _____is_____ a baker.

❷ **Q** _____ the cats in the box?

    A Yes, _____ .

❸ **Q** _____ the bag old?

    A No, _____ . It _____ new.

D 다음 문장을 괄호 안의 지시대로 바꿔 쓰세요.

❶ His sister is famous. 그의 누나는 유명하다.

→ (의문문) _____Is his sister famous?_____

❷ I am her classmate. 나는 그녀의 반 친구이다.

→ (부정문) _____

❸ The vegetables are fresh. 그 채소들은 신선하다.

→ (의문문) _____

❹ My aunt is a dentist. 나의 이모는 치과의사이다.

→ (부정문) _____

❺ The sweater is in the drawer. 그 스웨터는 서랍 안에 있다.

→ (의문문) _____

A　알맞은 것에 체크하고, 문장을 완성하세요.

❶ [My brother]　is　[tall].　☑ is　☐ are

❷ [The erasers]　[mine].　☐ isn't　☐ aren't

❸ Q　[in the theater]?　☐ They are　☐ Are they

　A [No],　　　　.

B　우리말에 맞게 알맞은 be동사를 넣고, 전체 문장을 다시 쓰세요.

❶ 그것은 그의 가방이니?

　[bag]　Is　[his] [?] [it]

　→ ___Is it his bag?_____

❷ 네 장갑은 상자 안에 있다.

　[gloves] [in the box]　[Your].

　→ _____

❸ Ellen(엘렌)은 변호사가 아니다.

　[a lawyer] [Ellen].

　→ _____

❹ 그 신발은 비싸니?

　[the shoes] [expensive] [?]

　→ _____

UNIT 2

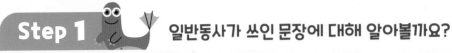

Jen **does** her homework.

Step 1 일반동사가 쓰인 문장에 대해 알아볼까요?

영어의 동사에는 be동사 외에 일반동사가 있는데, 일반동사는 주어의 동작이나 상태를 나타내요.
일반동사의 현재형은 현재의 사실이나 상태, 반복되는 습관이나 동작을 나타낼 때 쓰여요.
이때 주어가 3인칭 단수일 경우, 동사의 형태에 따라 동사의 뒤에 -s 또는 -es를 붙여야 해요.

✛ 일반동사의 현재형 ✛

현재의 사실이나 상태	반복되는 습관이나 동작
I **live** in Seoul. 나는 서울에 산다.	I **eat** breakfast every day. 나는 매일 아침을 먹는다.
My uncle **works** at a zoo. 나의 삼촌은 동물원에서 일하신다.	Kate **goes** to bed at 9 p.m. 케이트는 오후 9시에 잠자리에 든다.

✔체크 반복되는 습관이나 동작을 나타낼 때는 문장 뒤에 '언제'인지 나타내는 표현과 함께 자주 쓰여요.
every day(매일), 12:30(12시 30분), in the morning(아침에), on Sunday(일요일에), after school(방과 후에) 등

✛ 일반동사의 3인칭 단수형 ✛

대부분의 동사	+ -s	like → likes 좋아하다 read → reads 읽다	eat → eats 먹다 play → plays (게임, 놀이를) 하다, 연주하다
-o, -s, -sh, -ch, -x 로 끝나는 동사	+ -es	go → goes 가다 pass → passes 패스하다 watch → watches 보다	do → does 하다 wash → washes 씻다 fix → fixes 고치다
'자음+y'로 끝나는 동사	y를 i로 고치고 + -es	cry → cries 울다 study → studies 공부하다	fly → flies 날다
have	has	have → has 가지다, 먹다	

✔체크 주어가 3인칭 단수(He/She/It 또는 단수 명사)일 때, 동사 뒤에 -s 또는 -es를 붙여야 해요.

✔체크 3인칭 단수 주어를 제외한 나머지 주어 뒤에는 모두 동사원형이 와요.

A 다음 ( ) 안에서 알맞은 것을 고르세요.

① She (walk / (walks)) to school.   그녀는 학교에 걸어간다.

② They (fix / fixes) cars.   그들은 차를 고친다.

③ The kid (flys / flies) a kite.   그 아이는 연을 날린다.

④ My brother (read / reads) magazines.   나의 형은 잡지를 읽는다.

⑤ The students (have / has) art class.   그 학생들은 미술 수업이 있다.

⑥ Mr. Jones (teachs / teaches) science.   존스 씨는 과학을 가르친다.

⑦ The baby (crys / cries) every day.   그 아기는 매일 운다.

⑧ Emily (brushs / brushes) her hair.   에밀리는 머리를 빗는다.

B 다음 주어진 동사를 빈칸에 알맞은 형태로 쓰세요.

① clean   Mike and John ____clean____ the house.

② go   Betty _____ to the library.

③ play   The boys _____ soccer after school.

④ study   Oliver _____ math every day.

⑤ have   Ms. Brown _____ lunch at 12:30.

⑥ take   My dad _____ a walk every day.

⑦ watch   My grandmother _____ TV in the morning.

C 다음 Beth와 Tony의 시간표를 보고, 알맞은 말을 넣어 문장을 완성하세요.

	Monday	Wednesday	Friday	Saturday
Beth	read books	play tennis	bake cookies	watch movies
Tony	play the violin	wash the dishes	walk his dog	go to the library

❶ Beth ___reads___ books on Monday.

❷ Tony _____ the violin on Monday.

❸ Tony _____ the dishes on Wednesday.

❹ Beth _____ cookies on Friday.

❺ Beth _____ movies on Saturday.

❻ Tony _____ to the library on Saturday.

D 다음과 같이 주어를 바꿀 때, 동사를 알맞은 형태로 바꿔 쓰세요.

❶ Kate and Sam get up at seven o'clock.

→ Sam ___gets up___ at seven o'clock.

❷ Ryan studies Korean.

→ Ryan and Tim _____ Korean.

❸ Danny and Judy do homework after school.

→ Judy _____ homework after school.

A 알맞은 것에 체크하고, 문장을 완성하세요.

❶ [Alex] studies [history] . ☐ studys ☑ studies

❷ [The man] [movies] . ☐ enjoys ☐ enjoies

❸ [My uncle] [in Busan] . ☐ live ☐ lives

❹ [She] [her grandma] . ☐ misses ☐ missies

❺ [My mom] [the news] . ☐ watchs ☐ watches

B 우리말에 맞게 보기에서 알맞은 단어를 골라 바꿔 쓴 다음, 전체 문장을 다시 쓰세요.

보기   fly   ride   have

❶ 그 학생들은 12시에 점심을 먹는다.

[at 12]   have   [The students] [lunch] .

→ The students have lunch at 12.

❷ 그 새는 하늘을 난다.

[in the sky]   [The bird] .

→ _____

❸ 내 여동생은 매일 그녀의 자전거를 탄다.

[every day]   [My sister] [her bike] .

→ _____

UNIT 3

일반동사 현재형 부정문/의문문

Does she **play** tennis**?**

Step 1   일반동사의 부정문과 의문문은 어떻게 만들까요?

일반동사의 부정문과 의문문을 만들기 위해서는 do와 does가 반드시 필요해요.
부정문은 일반동사 '앞'에 do not 또는 does not을 넣으면 되고, 의문문은 주어 '앞'에 Do 또는 Does를
넣으면 돼요. 이때 동사는 무조건 동사원형을 쓴다는 것을 기억하세요.

+ 일반동사 현재형의 부정문과 의문문 +

	주어가 I / you / we / they 또는 복수 명사일 때	주어가 he / she / it 또는 단수 명사일 때 = 3인칭 단수 주어
긍정문	The kids **take** the school bus. 그 아이들은 스쿨버스를 탄다.	Tom **washes** the dishes. 톰은 설거지를 한다.
부정문: do/does not + 동사원형	→ The kids **don't take** the school bus. 그 아이들은 스쿨버스를 타지 않는다.	→ Tom **doesn't wash** the dishes. 톰은 설거지를 하지 않는다.
의문문: Do/Does + 주어 + 동사원형 ~?	→ Do the kids **take** the school bus? 그 아이들은 스쿨버스를 타니?	→ Does Tom **wash** the dishes? 톰은 설거지를 하니?

✓체크   do not = don't, does not = doesn't

+ 일반동사 의문문에 대한 대답: Yes/No +

질문	Yes로 대답 (긍정) 응, 그래.	No로 대답 (부정) 아니, 그렇지 않아.
Do you ~?	Yes, I **do**.	No, I **don't**.
Do we/you/they ~?	Yes, you/we/they **do**.	No, you/we/they **don't**.
Does he/she/it ~?	Yes, he/she/it **does**.	No, he/she/it **doesn't**.

✓체크   주어가 명사인 질문에 대답할 때는 주어를 알맞은 대명사로 바꿔 대답해야 해요.
      Q: Does <u>Ken</u> clean his room? (켄은 자기 방을 청소하니?)
      A: Yes, <u>he</u> does. (응, 그래.)

A 다음 문장을 부정문으로 바꿀 때, 빈칸에 알맞은 말을 쓰세요.

❶ We remember his name. 우리는 그의 이름을 기억한다.

→ We ___do___ ___not___ ___remember___ his name.

❷ My grandmother likes candy. 나의 할머니는 사탕을 좋아하신다.

→ My grandmother _____ _____ candy.

❸ The girls speak Japanese. 그 여자아이들은 일본어를 한다.

→ The girls _____ _____ _____ Japanese.

❹ My brother cleans his room. 나의 오빠는 그의 방을 청소한다.

→ My brother _____ _____ _____ his room.

❺ Jenny plays computer games. 제니는 컴퓨터 게임을 한다.

→ Jenny _____ _____ _____ computer games.

B 다음 문장을 의문문으로 바꿀 때, 빈칸에 알맞은 말을 쓰세요.

❶ Emma has a math test today. 엠마는 오늘 수학 시험이 있다.

→ ___Does___ Emma ___have___ a math test today?

❷ They eat breakfast every day. 그들은 매일 아침을 먹는다.

→ _____ they _____ breakfast every day?

❸ His dad goes to the gym every day. 그의 아빠는 매일 체육관에 가신다.

→ _____ his dad _____ to the gym every day?

❹ Kevin and David live in New York. 케빈과 데이비드는 뉴욕에 산다.

→ _____ Kevin and David _____ in New York?

C 다음 Elly와 Sam의 시간표를 보고, 알맞은 말을 넣어 대화를 완성하세요.

	have breakfast	go to school	play basketball
Elly	7:30 a.m.	8:00 a.m.	3:00 p.m.
Sam	7:00 a.m.	8:00 a.m.	2:00 p.m.

❶ **Q** ___Does___ Sam ___have___ breakfast at seven thirty?

 A No, ___he___ ___doesn't___ .

❷ **Q** _____ Elly and Sam _____ to school at eight o'clock?

 A Yes, _____ _____ .

❸ **Q** _____ Elly _____ basketball at two o'clock?

 A No, _____ _____ .

D 다음 문장을 괄호 안의 지시대로 바꿀 때, 빈칸에 알맞은 말을 쓰세요.

❶ Andrew comes home at two o'clock. 앤드류는 2시에 집에 온다.

➜ (의문문) ___Does Andrew come___ home at two o'clock?

❷ We have a math class today. 우리는 오늘 수학 수업이 있다.

➜ (부정문) _____ a math class today.

❸ Jenny likes tomatoes. 제니는 토마토를 좋아한다.

➜ (부정문) _____ tomatoes.

❹ Mr. Watson teaches music. 왓슨 씨는 음악을 가르친다.

➜ (의문문) _____ music?

A 알맞은 것에 체크하고, 문장을 완성하세요.

❶ [Sally]   doesn't   [walk]   [to school] .   ☐ don't   ☑ doesn't

❷   [your sister]   [like]   [art] ?   ☐ Do   ☐ Does

❸ [He]   [doesn't]   [ice cream] .   ☐ likes   ☐ like

❹ [We]   [speak]   [French] .   ☐ don't   ☐ doesn't

❺ [Does]   [it]   [teeth] ?   ☐ has   ☐ have

B 우리말에 맞게 알맞은 단어를 넣고, 전체 문장을 다시 쓰세요.

❶ Karen(카렌)은 그 서점에서 일하니?

[work]   [Karen]   Does   [at the bookstore]   [?]

→ Does Karen work at the bookstore?

❷ Nick(닉)은 서울에 살지 않는다.

[live]   [Nick]   [in Seoul] .

→ _____

❸ 네 친구들은 보드게임을 하니?

[play]   [?]   [board games]   [your friends]

→ _____

01 다음 빈칸에 들어갈 말이 바르게 짝지어 진 것을 고르세요.

> · The man _____ tall.
> · Her gloves _____ new.

① am - is   ② is - are
③ are - are   ④ is - is

[02~03] 다음 빈칸에 들어갈 말로 알맞은 것을 고르세요.

02

> _____ your brother wear glasses?

① Is   ② Do
③ Are   ④ Does

03

> _____ isn't a student.

① They   ② We
③ My sister   ④ Mike and Jay

04 다음 밑줄 친 부분이 올바른 것을 고르세요.

① Rachel <u>walk</u> her dog.
② It <u>haves</u> a long neck.
③ Andy <u>studys</u> science.
④ My brother <u>stays</u> at home.

[05~06] 다음 그림을 보고, 보기에서 알맞은 것을 골라 문장을 완성하세요.

> <보기>   is   isn't   are   aren't

05

Ms. Martin _____ a scientist.
She _____ a reporter.

06

Elephants _____ big.
They _____ small.

[07~10] 다음 ( ) 안에서 알맞은 것을 고르세요.

07 The ring (isn't / aren't) hers.

08 (Do / Are) they your friends?

09 The woman (has / have) a suitcase.

10 Peter and Ted (don't / doesn't) play golf.

[11~12] 다음 빈칸에 공통으로 들어갈 말을 보기에서 골라 쓰세요.

<보기> is　are　don't　doesn't

11
· Suji _____ like meat.
· The man _____ speak English.

12
· _____ you thirsty?
· _____ the girls in the classroom?

[13~15] 다음 문장을 괄호 안의 지시대로 바꿔 쓰세요.

13 The apples are sweet.
→ (의문문) _____

14 James is a painter.
→ (부정문) _____

15 Nate lives in the city.
→ (의문문) _____

[16~17] 다음 질문에 대한 알맞은 대답을 완성하세요.

16
Q Is Emily a firefighter?
A No, _____.
She is a pilot.

17
Q Do Ben and Jake walk to school?
A Yes, _____.

[18~20] 우리말에 맞게 밑줄 친 부분을 바르게 고쳐 쓰세요.

18 Does Julie <u>goes</u> to the library every day?
줄리는 매일 도서관에 가니?
→ _____

19 Nancy <u>finishs</u> work at six.
낸시는 6시에 일을 끝낸다.
→ _____

20 The books <u>isn't</u> boring.
그 책들은 지루하지 않다.
→ _____

A 다음 ( ) 안에서 알맞은 것을 고르세요.

❶ My brother and I (am / (are)) twins.

❷ I (am not / amn't) in the bathroom.

❸ (That / Those) is a museum.

❹ (Do / Does) your sister wear glasses?

❺ These are my (pencil / pencils).

B 우리말에 맞게 주어진 단어를 알맞은 형태로 바꿔 쓰세요.

❶ ___Your___ friends are kind. (you) 네 친구들은 친절하다.

❷ My jacket _____ red. (be) 내 재킷은 빨간색이다.

❸ She doesn't like _____. (he) 그녀는 그를 좋아하지 않는다.

❹ A plane _____ in the sky. (fly) 비행기 한 대가 하늘을 날아간다.

❺ My brother _____ a camera. (have) 나의 형은 카메라를 가지고 있다.

C 다음 밑줄 친 부분을 바르게 고쳐 쓰세요.

❶ <u>This is</u> her children. → ___These are___
이 아이들은 그녀의 아이들이다.

❷ <u>Her</u> likes Koalas. → _____
그녀는 고알리를 좋아한다.

❸ My friends <u>doesn't</u> like books. → _____
내 친구들은 책을 좋아하지 않는다.

CHAPTER 3

현재진행형

학습 목표

UNIT 1 **현재진행형의 긍정문**

be동사와 동사의 -ing형을 이용하여 '~하고 있다'는 뜻의 문장을
만들 수 있어요.

She **is riding** a bike.

UNIT 2 **현재진행형의 부정문과 의문문**

be동사와 동사의 -ing형을 이용하여 '~하고 있지 않다' 또는
'~하고 있니?'를 뜻하는 문장을 만들 수 있어요.

Is he **reading** a book?

UNIT 1

She **is riding** a bike.

Step 1 현재진행형이란 무엇일까요?

현재진행형은 '지금 일어나고 있는 일이나 동작'을 뜻하며, '(지금) ~하고 있다, ~하는 중이다'라는 의미예요.
「be동사의 현재형+동사의 -ing형」을 써요.

✛ 현재진행형의 긍정문 ✛

	am/are/is	✛ 동사의 -ing형
단수 (하나)	I am = I'm You(너) are = You're He/She/It is = He's/She's/It's	playing.
복수 (여럿)	We are = We're You(너희들) are = You're They are = They're	

✛ 동사의 -ing형 만드는 방법 ✛

대부분의 동사	동사원형 + -ing	go → going 가는 중 eat → eating 먹는 중 play → playing 노는 중, 연주하는 중
-e로 끝나는 동사	e를 없애고 + -ing	come → coming 오는 중 dance → dancing 춤추는 중 make → making 만드는 중
'모음 1개+자음 1개'로 끝니는 동사	마지막 자음 한 번 더 쓰고 + -ing	sit → sitting 앉아 있는 중 cut → cutting 자르는 중 run → running 달리는 중 win → winning 이기는 중 swim → swimming 수영하는 중

✔체크   동사 have가 '가지다'의 뜻일 때는 진행형으로 쓰일 수 없지만, '먹다'라는 뜻일 때는 진행형으로 쓰일 수 있어요.
       We **are having** lunch. (우리는 점심을 먹고 있다.)

A 다음 주어진 동사의 -ing형을 빈칸에 쓰세요.

① watch → *watching*   ② sit →

③ buy →   ④ move →

⑤ draw →   ⑥ ride →

⑦ swim →   ⑧ live →

⑨ cry →   ⑩ come →

⑪ walk →   ⑫ run →

B 다음 ( ) 안에서 알맞은 것을 고르세요.

① I (⟨am⟩ / are) (drive / ⟨driving⟩) my car.
   나는 내 차를 운전하고 있다.

② The men (is / are) (cutting / cuting) the grass.
   그 남자들은 잔디를 깎고 있다.

③ A kite (is / are) (fly / flying) in the sky.
   연이 하늘을 날고 있다.

④ Our team (is / are) (wining / winning) the game.
   우리 팀은 경기를 이기고 있다.

⑤ They (is / are) (cleanning / cleaning) the classroom.
   그들은 교실을 청소하고 있다.

⑥ A woman (is / are) (taking / takeing) a walk.
   한 여자가 산책하고 있다.

⑦ We (is / are) (make / making) a movie.
   우리는 영화를 만들고 있다.

⑧ Brian (is / are) (eating / eatting) lunch.
   브라이언은 점심을 먹고 있다.

C 우리말에 맞게 주어진 단어를 이용하여 문장을 완성하세요.

❶ She _____is_____ _____drinking_____ coffee. (drink)

그녀는 커피를 마시고 있다.

❷ A man _____ _____ in the park. (run)

한 남자가 공원에서 달리고 있다.

❸ They _____ _____ in the garden. (work)

그들은 정원에서 일하고 있다.

❹ Jenny _____ _____ boots. (wear)

제니는 부츠를 신고 있다.

❺ The boys _____ _____ now. (dance)

그 남자아이들은 지금 춤을 추고 있다.

D 우리말에 맞게 보기의 단어를 이용하여 문장을 완성하세요.

| 보기 | am | are | is | write | take | study | sit | play |

❶ 나는 영어를 공부하고 있다.

→ I _____am_____ _____studying_____ English.

❷ 고양이들이 벤치에 앉아 있다.

→ The cats _____ _____ on the bench.

❸ Peter(피터)는 편지를 쓰고 있다.

→ Peter _____ _____ a letter.

❹ 아이들은 운동장에서 놀고 있다.

→ The children _____ _____ on the playground.

❺ 나의 언니는 사진을 찍고 있다.

→ My sister _____ _____ pictures.

A 알맞은 것에 체크하고, 문장을 완성하세요.

❶ [He's] holding [a balloon] . ☐ hold ☑ holding

❷ [The girl] [a song] . ☐ is singing ☐ singing

❸ [She's] [her car] . ☐ washes ☐ washing

❹ [Ken] [the cake] . ☐ is cuting ☐ is cutting

❺ [John and I] . ☐ are dancing ☐ is dancing

B 우리말에 맞게 보기에서 알맞은 단어를 골라 바꿔 쓴 다음, 전체 문장을 다시 쓰세요.

보기   am   are   is   ride   sit   go

❶ 그 벌은 꽃 위에 앉아 있다.

[on the flower] [The bee] is sitting .

→ The bee is sitting on the flower.

❷ 나는 도서관에 가고 있다.

[to the library] [I] .

→ _____

❸ 내 형과 나는 자전거를 타고 있다.

[our bikes] [My brother and I] .

→ _____

UNIT 2

Is he reading a book?

Step 1   '~하고 있지 않다'와 '~하고 있니?'는 어떻게 나타내는지 알아볼까요?

현재진행형의 부정문과 의문문 모두 be동사의 부정문과 의문문을 만드는 방법과 같아요.
'~하고 있지 않다'라는 뜻의 부정문은 be동사 바로 뒤에 not을 쓰면 돼요.
'~하고 있니?'라는 뜻의 의문문은 주어와 be동사의 자리만 바꾸어
「be동사의 현재형+주어+동사의 -ing형 ~?」으로 나타내요.

+ 현재진행형의 부정문: ~하고 있지 않다 +

	am/are/is + not	+ 동사의 -ing형
단수 (하나)	I am **not** = I'm not You(너) are **not** = You aren't He/She/It is **not** = He/She/It isn't	watching TV.
복수 (여럿)	We are **not** = We aren't You(너희들) are **not** = You aren't They are **not** = They aren't	

+ 현재진행형의 의문문: ~하고 있니? +

	Am/Are/Is + 주어 + 동사의 -ing형 ~?	Yes로 대답 (긍정) 응, 그래.	No로 대답 (부정) 아니, 그렇지 않아.
단수 (하나)	Are you singing?	Yes, I am.	No, I'm not.
	Is he/she/it singing?	Yes, he/she/it is.	No, he/she/it isn't.
복수 (여럿)	Are you singing?	Yes, we are.	No, we aren't.
	Are they singing?	Yes, they are.	No, they aren't.

✔체크 긍정의 대답일 때는 '주어+be동사'를 줄여 쓰지 않지만, 부정의 대답일 때는 'be동사+not'을 줄여 써요.

✔체크 주어가 명사인 질문에 대답할 때는 주어를 알맞은 대명사로 바꿔 대답해야 해요.
    Q: Is **Dan** playing tennis? (댄은 테니스를 치고 있니?)
    A: No, <u>he</u> isn't. (아니, 그렇지 않아.)

A 다음 문장을 괄호 안의 지시대로 바꿀 때, 빈칸에 알맞은 말을 쓰세요.

❶ She is cooking dinner. 그녀는 저녁을 요리하고 있다.

➡ (부정문) She ___is___ ___not___ ___cooking___ dinner.

❷ They are smiling. 그들은 미소 짓고 있다.

➡ (부정문) They _____ _____ _____.

❸ My brother is cutting the paper. 내 남동생은 종이를 자르고 있다.

➡ (부정문) My brother _____ _____ _____ the paper.

❹ He is cleaning his room. 그는 그의 방을 청소하고 있다.

➡ (의문문) _____ _____ _____ his room?

❺ The kids are making a snowman. 그 아이들은 눈사람을 만들고 있다.

➡ (의문문) _____ _____ _____ _____ a snowman?

B 다음 ( ) 안에서 알맞은 것을 고르세요.

❶ (Do / (Are)) you studying math?

❷ I (am not / not am) watching TV.

❸ He isn't (taking / take) a shower.

❹ (Is / Does) the horse running?

❺ Scott (is not / not is) writing a letter.

❻ Are they (wear / wearing) seat belts?

❼ My mother (aren't / isn't) (siting / sitting) on the bed.

❽ (Is / Are) the dogs (swim / swimming) in the pool?

C 다음 그림을 보고, 보기의 단어를 이용하여 현재진행형 문장을 완성하세요.

보기	is	are	carry	hide	eat	play

1 My brother _____isn't playing_____ the flute.

He ____is playing____ the drum.

2 The koala _____ carrots.

It _____ leaves.

3 Jim and Ted _____ a box.

They _____ a basket.

4 Cindy _____ under the bed.

She _____ under the table.

D 다음 주어진 단어를 이용하여 현재진행형의 의문문과 대답을 완성하세요.

1 Q ____Are____ you ____flying____ a kite? (fly)

A Yes, ____I____ ____am____ .

2 Q _____ she _____ bread? (cut)

A No, _____ _____ .

3 Q _____ Brian _____ his car? (wash)

A No, _____ _____ .

4 Q _____ your cats _____ on the bed? (sleep)

A Yes, _____ _____ .

A 알맞은 것에 체크하고, 문장을 완성하세요.

❶ She's | not riding | a bike | . ☑ not riding ☐ riding not

❷ Dad | on the sofa | . ☐ isn't sit ☐ isn't sitting

❸ Is | Amy | a pie | ? ☐ baking ☐ bake

❹ Are | they | the mountain | ? ☐ climb ☐ climbing

B 우리말에 맞게 보기에서 알맞은 단어를 골라 바꿔 쓴 다음, 전체 문장을 다시 쓰세요.

보기 is   are   use   walk   read

❶ 내 언니는 신문을 읽고 있지 않다.

a newspaper   isn't reading   My sister   .

→ My sister isn't reading a newspaper.

❷ Susie(수지)가 내 컴퓨터를 사용하고 있니?

? | Is | my computer | Susie

→

❸ 내 친구들은 학교에 걸어가고 있지 않다.

to school   My friends   .

→

[01~02] 다음 중 동사원형과 현재진행형이 잘못 짝지어진 것을 고르세요.

01
① look - looking
② come - comeing
③ get - getting
④ carry - carrying

02
① ask - asking
② hide - hiding
③ fix - fixing
④ put - puting

[03~06] 다음 ( ) 안에서 알맞은 것을 고르세요.

03 He (is / are) (watches / watching) a movie.

04 I (not am / am not) (driving / driveing) a car.

05 Sam (isn't / aren't) (runing / running) on the playground.

06 **Q** Are Paul and Nick (riding / rideing) bikes?
A No, (you / they) aren't.

07 다음 빈칸에 들어갈 말이 바르게 짝지어진 것을 고르세요.

· James isn't _____ glasses.
· _____ the boys playing badminton?

① wear - Are
② wearing - Is
③ wear - Is
④ wearing - Are

[08~11] 우리말에 맞게 주어진 단어를 이용하여 문장을 완성하세요.

08 우리는 만화책을 읽고 있다.
→ We _____ _____ comic books. (read)

09 그 개는 지금 짖고 있지 않다.
→ The dog _____ _____ _____ now. (bark)

10 너희들은 경기에 이기고 있니?
→ _____ you _____ the game? (win)

11 Tom(톰)은 사진을 찍고 있지 않다.
→ Tom _____ _____ _____ a picture. (take)

12 다음 빈칸에 들어갈 be동사가 나머지와 <u>다른</u> 것을 고르세요.

① _____ she studying?

② _____ the baby crying?

③ He _____ playing the drums.

④ _____ your brothers
   dancing?

[13~15] 다음 그림을 보고, 주어진 단어를 이용하여 현재진행형 문장을 완성하세요.

13

Mom and I _____
_____ a cake. (bake)

14

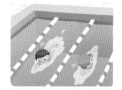

They _____ _____
in the sea. (swim)

15

Q _____ the sheep
_____? (sleep)

A Yes, _____ _____.

16 다음 중 올바른 문장을 고르세요.

① The man is carryeing a bag.

② I'm looking at a map.

③ They are siting in the park.

④ We're go to school now.

[17~18] 다음 중 <u>틀린</u> 문장을 고르세요.

17 ① I'm not eating lunch.

② They not studying science.

③ The leaves are not falling.

④ Linda isn't buying clothes.

18 ① Is Brian coming home?

② Are they cleaning the street?

③ Is he brushing his teeth?

④ Are your mom working now?

[19~20] 다음 대화에서 밑줄 친 부분을 바르게 고쳐 쓰세요.

Q <u>Does</u> your dad washing the
   dishes?

A No, he <u>is</u>.

19 Does   →   _____

20 is   →   _____

REVIEW

A 다음 ( ) 안에서 알맞은 것을 고르세요.

❶ Those (is / (are)) my glasses.

❷ Rachel (don't / doesn't) like bugs.

❸ Her sister (isn't / aren't) in the kitchen.

❹ Greg and Jane (have / has) lunch at school.

B 우리말에 맞게 보기에서 알맞은 것을 골라 바꿔 쓰세요.

보기　　is　　　are　　　watch　　　run　　　study

❶ They _____run_____ every day.　　　그들은 매일 달린다.

❷ They _____ _____ now.　　그들은 지금 달리고 있다.

❸ Jason _____ history every day.　　제이슨은 매일 역사를 공부한다.

❹ Jason _____ _____ history.　　제이슨은 역사를 공부하고 있다.

❺ Sena _____ TV every day.　　세나는 매일 TV를 본다.

❻ Sena _____ _____ TV.　　세나는 TV를 보고 있다.

C 다음 밑줄 친 부분을 바르게 고쳐 쓰세요.

❶ The child is <u>drink</u> water.　　→　____drinking____

❷ <u>Are</u> your sister kind?　　→　_____

❸ Does he <u>has</u> a notebook?　　→　_____

CHAPTER 4

숫자 표현과 비인칭 주어 it

학습 목표

It's on the **first** floor.

 '하나, 둘...' 또는 '첫 번째, 두 번째...'를 어떻게 다르게 표현할까요?

영어의 숫자 표현에는 '하나, 둘'처럼 개수를 나타내는 기수와
'첫 번째, 두 번째'처럼 순서를 나타내는 서수가 있어요.

+ **기수와 서수** +

기수 하나, 둘...	사물의 개수, 나이, 연도, 시간, 가격 등	I have **two** apples. 나는 사과 두 개가 있다. Tom is **nine** years old. 톰은 아홉 살이다.
서수 첫 번째, 두 번째...	순서, 층, 날짜, 학년 등	The library is on **the first** floor. 그 도서관은 1층(첫 번째 층)에 있다.

✔체크 서수는 the를 앞에 붙여 함께 사용해요.

+ **서수 만드는 법: 보통 '기수 + -th'** +

숫자	기수	서수	숫자	기수	서수
1	one	**first** (1st)	11	eleven	eleven**th** (11th)
2	two	**second** (2nd)	12	twelve	twel**fth** (12th)
3	three	**third** (3rd)	13	thirteen	thirteen**th** (13th)
4	four	four**th** (4th)	20	twenty	twent**ieth** (20th)
5	five	fi**fth** (5th)	21	twenty-one	twenty-**first** (21st)
6	six	six**th** (6th)	22	twenty-two	twenty-**second** (22nd)
7	seven	seven**th** (7th)	23	twenty-three	twenty-**third** (23rd)
8	eight	eigh**th** (8th)	30	thirty	thirt**ieth** (30th)
9	nine	nin**th** (9th)	40	forty	fort**ieth** (40th)
10	ten	ten**th** (10th)	100	one hundred	one hundred**th** (100th)

✔체크 서수는 보통 기수 뒤에 -th를 붙인 형태이지만, first, second처럼 불규칙적으로 바뀌기도 하고,
20(twenty), 30(thirty), 40(forty)...과 같이 -ty로 끝나면 y를 ie로 바꾸고 -th를 붙여요.

✔체크 주의해야 할 기수와 서수
four - **forty** (u 생략), five - **fifty** (ve를 f로 바꾸고 + -ty)
eight - **eighth** (t 생략), nine - **ninth** (e 생략)
five - **fifth**, twelve - **twelfth** (ve를 f로 바꾸고 + -th)

A 우리말에 맞게 (   ) 안에서 알맞은 것을 고르고, 빈칸에 쓰세요.

① 네 번째 → (four / (fourth))

fourth grade 4학년

② 일곱, 7 → (seven / seventh)

_____ kids 일곱 명의 아이들

③ 두 번째 → (two / second)

_____ floor 2층

④ 여덟, 8 → (eight / eighth)

_____ legs 여덟 개의 다리

⑤ 열두 번째 → (twelve / twelfth)

_____ birthday 열두 번째 생일

⑥ 스물 하나, 21 → (twenty-one / twenty-first)

_____ years old 스물한 살

⑦ 서른, 30 → (thirty / thirtieth)

_____ dollars 30달러

⑧ 다섯 번째 → (five / fifth)

May _____ 5월 5일

⑨ 열하나, 11 → (eleven / eleventh)

three _____ 3시 11분

⑩ 둘, 2 → (two / second)

_____ questions 질문 두 개

⑪ 열 번째 → (ten / tenth)

_____ day 열 번째 날

⑫ 열셋, 13 → (thirteen / thirteenth)

_____ eggs 달걀 열세 개

B 다음 주어진 숫자의 알맞은 서수 표현을 ( ) 안에서 고르세요.

❶ 90 → (ninetyth / (ninetieth))

❷ 5 → (fiveth / fifth)

❸ 12 → (twelveth / twelfth)

❹ 3 → (third / threeth)

❺ 9 → (ninth / nineth)

❻ 40 → (fortyth / fortieth)

❼ 8 → (eighth / eightth)

❽ 32 → (thirty-twoth / thirty-second)

❾ 51 → (fifty-first / fifty-oneth)

❿ 79 → (seventy-ninth / seventy-nineth)

C 우리말에 맞게 보기에서 알맞은 단어를 골라 빈칸에 쓰세요.

보기　　one　　first　　four　　fourth　　twenty　　twentieth

❶ Today is my ___first___ day at school.
오늘은 학교에서의 첫날이다.

❷ It is August _____ today.
오늘은 8월 4일이다.

❸ They live on the _____ floor.
그들은 20층에 산다.

❹ She has _____ children.
그녀는 네 명의 아이들이 있다.

❺ I have _____ dollars.
나는 20달러를 가지고 있다.

❻ The baby is _____ year old.
그 아기는 한 살이다.

A 알맞은 것에 체크하고, 문장을 완성하세요.

❶ [It's] [March] twelfth . ☐ twelveth ☑ twelfth

❷ [He's] [years old] . ☐ nine ☐ ninth

❸ [I] [need] [pencils] . ☐ two ☐ second

❹ [She] [has] [dollars] . ☐ fourty ☐ forty

❺ [July] [is] [the] [month] . ☐ seven ☐ seventh

B 우리말에 맞게 보기에서 알맞은 단어를 골라 쓴 다음, 전체 문장을 다시 쓰세요.

보기 five   fifth   six   sixth   eight   eighth

❶ 우리 교실은 5층에 있다.

[is] [floor] on the fifth [Our classroom] .

→ Our classroom is on the fifth floor. _____

❷ 거미는 여덟 개의 다리가 있다.

[legs] [have] [Spiders] .

→ _____

❸ 우리는 6학년이다.

[are] in the [grade] [We] .

→ _____

UNIT 2 〔숫자 표현〕 It's **12 o'clock**.

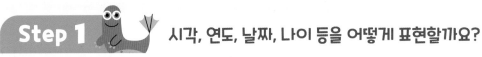

Step 1 시각, 연도, 날짜, 나이 등을 어떻게 표현할까요?

시각, 연도, 날짜, 나이 등 일상생활 속에서 여러 가지 숫자 표현을 읽을 때는 앞에서 배운 기수와 서수를 사용해서 읽어요. 이때 기수와 서수의 쓰임이 다르므로 잘 알아 두어야 해요.

＋ 시각, 연도, 날짜, 나이, 숫자, 돈 ＋

시각	시 + 분	7:50	seven fifty 7시 50분
		12:00	twelve o'clock 12시 정각
		8:00 a.m.	eight a.m. 오전 8시
		6:30 p.m.	six thirty p.m. 오후 6시 30분
	half(30분)/ past(~이 지나서)	9:30	half past nine (= nine thirty) 9시 30분(9시를 지난 30분)
연도	두 자리씩 끊어 읽기	1999년	nineteen ninety-nine
		2021년	two thousand twenty-one
날짜	'월-일-연도' 순	2022년 5월 11일	May 11, 2022 May eleventh, two thousand twenty-two (= the eleventh of May)
나이	숫자 + year(s) old	12살	twelve years old
숫자	뒤에서 세 자리씩 끊어 읽기	1,798	one thousand seven hundred ninety-eight
		35,684	thirty-five thousand six hundred eighty-four
돈	숫자 + dollar(s)/cent(s)	$32	thirty-two dollars 32달러
		$42.99	forty-two dollars and ninety-nine cents 42달러 99센트

> o'clock은 1~12의 숫자 뒤에 써서 정확한 시간을 나타내요.

> 2000년 이후의 연도는 끊어 읽지 않고, 단위(thousand)를 포함해서 읽어요.

> 1달러 = 100센트 99센트까지만 센트(cent)로 읽어요.

✔체크 날짜를 표현할 때, 서수 앞에 the를 생략하기도 해요.
May (the) eleventh

✔체크 나이 또는 돈을 나타낼 때, 둘 이상이면 year, dollar, cent 뒤에 s를 붙여야 해요.
two **years** old, two **dollars**, two **cents**

✔체크 숫자와 함께 쓸 때, thousand와 hundred 끝에 s를 붙이지 않아요.
two thousand**s** (X), two thousand (O) 2천

A 우리말에 맞게 ( ) 안에서 알맞은 것을 고르세요.

① $45 → ((forty-five) / forty-fifth) dollars

② 5시 20분 → (five twenty / five twentieth)

③ 30살 → (thirty years old / thirty year old)

④ 2020년 → (two thousand twenties / two thousand twenty)

⑤ 11:30 → (half past twelve / half past eleven)

⑥ 4월 10일 → (April tenth / tenth April)

⑦ 10:00 → (ten clock / ten o'clock)

⑧ 576 → (five thousand / five hundred) seventy-six

⑨ 오후 9시 40분 → (nine forty p.m. / nine forty a.m.)

⑩ $3.50 → three (dollars / cents) and fifty (dollars / cents)

B 다음 숫자를 영어로 쓸 때, 보기에서 알맞은 단어를 골라 빈칸에 쓰세요.

보기   hundred   thousand   half   seventh   seventeen   years

① 2027년 → two ___thousand___ twenty-seven

② 15살 → fifteen _____ old

③ 7월 7일 → July _____

④ 1720년 → _____ twenty

⑤ 8시 30분 → _____ past eight

⑥ $121 → one _____ twenty-one dollars

⑦ 5,742 → five _____ seven _____ forty-two

⑧ 17,893 → _____ thousand eight hundred ninety-three

C

우리말에 맞게 밑줄 친 부분을 바르게 고쳐 쓰세요.

❶ It's three <u>thirty-fifth</u> now.
지금은 3시 35분이다.

→ _thirty-five_

❷ May <u>five</u> is Children's day.
5월 5일은 어린이날이다.

→ _____

❸ The shop opens at eight <u>clock</u>.
그 가게는 오전 8시 정각에 연다.

→ _____

❹ One hundred cents make one <u>dollars</u>.
100센트면 1달러가 된다.

→ _____

❺ He has dinner at <u>sixth</u> thirty.
그는 6시 30분에 저녁을 먹는다.

→ _____

❻ My uncle is thirty-nine <u>year</u> old.
나의 삼촌은 서른아홉 살이다.

→ _____

❼ I get up at half past <u>six</u>.
나는 7시 30분에 일어난다.

→ _____

❽ She has seven hundred <u>twentieth</u> dollars.
그녀는 720달러를 가지고 있다.

→ _____

D

다음 영어로 된 숫자 표현을 숫자로 바꿔 쓰세요.

❶ ten ten

→ _10_ 시 _10_ 분

❷ thirteen years old

→ _____ 살

❸ half past twelve

→ _____ 시 _____ 분

❹ nineteen eighty-eight

→ _____ 년

❺ June twenty-third

→ 6월 _____ 일

❻ five thousand nine hundred sixty-three

→ _____

❼ sixty-five dollars and ninety-nine cents

→ $ _____ . _____

❽ two thousand fifty

→ _____ 년

❾ thirteen thousand one hundred forty-six

→ _____

A 알맞은 것에 체크하고, 문장을 완성하세요.

❶ [It's] [two] *forty* [p.m.] ☑ forty ☐ fortieth

❷ [It's] [January] . ☐ one ☐ first

❸ [The ticket] [is] [dollars] . ☐ three-five ☐ thirty-five

B 우리말에 맞게 보기에서 알맞은 단어를 골라 쓴 다음, 전체 문장을 다시 쓰세요.

보기   fifteen   fifteenth   twenty-two   twenty-second

❶ 그의 생일은 10월 22일이다.

[is] *twenty-second* [His birthday] [October] .

→ His birthday is October twenty-second.

❷ 그녀는 5달러 15센트가 있다.

[has] [and] [cents] [She] [five dollars] .

→ _____

❸ 내년은 2022년이다.

[two] [is] [Next year] [thousand] .

→ _____

❹ 그 숫자는 15,069이다.

[sixty-nine] [is] [thousand] [The number] .

→ _____

It's sunny.

Step 1 날씨, 시각, 요일, 날짜, 거리 등을 어떻게 표현할까요?

it은 일반적으로 '그것'이라는 뜻의 사물을 가리키는 대명사로 쓰이지만,
날씨, 시각, 요일, 날짜, 거리 등을 나타낼 때도 it을 주어로 **사용해요.**
이때, it은 대명사와는 달리 뜻이 없는 주어 역할을 하기 때문에 '비인칭 주어'라고 해요.

+ 비인칭 주어 it +

날씨		**Q** How is the weather? / What is the weather like? 날씨가 어때요? **A** It's **hot.** 더워요.
시각		**Q** What time is **it?** 몇 시예요? **A** It is **eleven ten.** 11시 10분이에요.
요일		**Q** What day is **it** today? 오늘은 무슨 요일인가요? **A** It's **Friday.** 금요일이에요.
날짜		**Q** What is the date today? 오늘은 며칠인가요? **A** It's **April 17th.** 4월 17일이에요.
거리		**Q** How far is **it?** 얼마나 먼가요? **A** It's **1 kilometer.** 1킬로미터 거리예요.

> 날씨를 묻는 표현에는 두 가지가 있어요.

✅**체크** 비인칭 주어 it을 대명사 it과 혼동하여 '그것'이라고 해석하지 않도록 주의해야 해요.
It's April. 그것은 4월이에요. (X) / 4월이에요. (O)

+ 비인칭 주어 it과 함께 쓰이는 표현 +

날씨	sunny 화창한 hot 더운	cloudy 흐린, 구름이 많은 cold 추운	rainy 비가 오는 warm 따뜻한	snowy 눈이 오는 windy 바람이 부는
요일	Monday 월요일 Friday 금요일	Tuesday 화요일 Saturday 토요일	Wednesday 수요일 Sunday 일요일	Thursday 목요일
달	January 1월 May 5월 September 9월	February 2월 June 6월 October 10월	March 3월 July 7월 November 11월	April 4월 August 8월 December 12월

A 다음 밑줄 친 It의 쓰임으로 알맞은 것을 고르세요.

❶ It is July 10th.   ① 대명사   ✓② 비인칭 주어

❷ It is her bike.   ① 대명사   ② 비인칭 주어

❸ It is rainy and cold.   ① 대명사   ② 비인칭 주어

❹ It is February 14th.   ① 대명사   ② 비인칭 주어

❺ It's not my wallet.   ① 대명사   ② 비인칭 주어

❻ It's Thursday.   ① 대명사   ② 비인칭 주어

❼ It is my favorite book.   ① 대명사   ② 비인칭 주어

❽ It is 5 km from here.   ① 대명사   ② 비인칭 주어

❾ It is on my desk.   ① 대명사   ② 비인칭 주어

❿ It's 11 o'clock.   ① 대명사   ② 비인칭 주어

B 우리말에 맞게 보기에서 알맞은 것을 골라 문장을 완성하세요.

보기	Tuesday	October 25th	rainy
	3 kilometers	5 o'clock	100 meters

❶ It's ___Tuesday___.   화요일이다.

❷ It's _____.   5시 정각이다.

❸ It's _____.   10월 25일이다.

❹ Is it _____ in Busan?   부산에는 비가 오니?

❺ It's _____ from here.   여기서 3킬로미터 거리이다.

❻ It's _____ to the bookstore.   서점까지 100미터야.

C 다음 ( ) 안에서 알맞은 것을 고르고, 빈칸에 우리말 뜻을 쓰세요.

❶ **Q** What's the date today?

A It's (Saturday / (July 10th)). ➔ _7월 10일이야._

❷ **Q** What's the weather like?

A It's (sunny / January). ➔ _____

❸ **Q** What day is it today?

A It's (April 13th / Wednesday). ➔ _____

❹ **Q** What time is it now?

A It's (4:35 / windy). ➔ _____

❺ **Q** What's the date today?

A It's (August 2nd / Tuesday). ➔ _____

D 다음 보기의 표현을 이용하여 대답을 완성하세요.

| 보기 | snowy | 9 o'clock | Monday |
| | February 5th | 10 kilometers | |

❶ **Q** What day is it today?

A __It__ is __Monday__ .

❷ **Q** What's the date today?

A _____ is _____ .

❸ **Q** What time is it?

A _____ is _____ .

❹ **Q** How's the weather?

A _____ is _____ .

❺ **Q** How far is it?

A _____ is _____ .

A 알맞은 것에 체크하고, 문장을 완성하세요.

❶ It [is] [cloudy] . ☐ This ☑ It

❷ [Thursday] . ☐ It's ☐ That's

❸ **Q** [How far] [is] [it] ?

   A [It's] . ☐ 5th day ☐ 5 kilometers

❹ **Q** [What's] [the date] [today] ?

   A [It's] . ☐ Sunday ☐ March 21st

B 우리말에 맞게 보기에서 알맞은 단어를 골라 쓴 다음, 전체 문장을 다시 쓰세요.

보기   it   Friday   is

❶ 오늘은 금요일이다.

[is] [It] Friday [today] .

→ It is Friday today.

❷ 9시 25분이다.

[is] [twenty-five] [nine] .

→ _____

❸ 학교까지 300미터이다.

[to the school] [300 meters] .

→ _____

[01~02] 다음 중 기수와 서수가 <u>잘못</u> 짝지어진 것을 고르세요.

01 ① five - fifth

② two - second

③ four - fourth

④ thirty - thirtyth

02 ① three - third

② nine - ninth

③ twelve - twelveth

④ thirteen - thirteenth

[03~05] 다음 빈칸에 들어갈 말로 알맞은 것을 고르세요.

03 It's _____ day of the school.

① one   ② the one

③ first   ④ the first

04 She has _____ books.

① the third   ② threeth

③ the three   ④ three

05 I'm in _____ grade.

① five   ② the fifth

③ the five   ④ fiveth

[06~07] 다음 (   ) 안에서 알맞은 것을 고르세요.

06 (It / That) is sunny and warm.

07 My brother is (eleven / eleventh) years old.

08 다음 숫자 표현을 영어로 바르게 옮긴 것을 고르세요.

2017년 4월 18일

① eighteenth April, two thousand seventeen

② two thousand seventeen, April eighteenth

③ April eighteenth, two thousand seventeen

④ April eighteen, two thousand seventeenth

09 다음 밑줄 친 <u>It[it]</u>의 쓰임이 나머지와 <u>다른</u> 것을 고르세요.

① <u>It</u> is far from here.

② <u>It</u>'s a small cat.

③ What time is <u>it</u>?

④ <u>It</u> isn't warm today.

[10~12] 다음 보기에서 알맞은 것을 골라 대화를 완성하세요.

<보기> time   weather   it   half

10

Q How's the _____?

A _____ is cloudy.

11

Q What _____ is it?

A It's _____ past four.

12

Q How far is _____?

A It is thirty kilometers.

13 다음 밑줄 친 부분이 잘못된 것을 고르세요.

① Her third son is a soldier.

② Today is my twelfth birthday.

③ I live on the fourteen floor.

④ September is the ninth month of the year.

[14~15] 우리말에 맞게 주어진 단어를 이용하여 문장을 완성하세요.

14 Amy(에이미)는 9살이다.

→ Amy is _____

old. (nine, year)

15 그 표는 200달러이다.

→ The ticket is _____

_____ _____.

(two, hundred, dollar)

16 다음 중 숫자 표현을 잘못 읽은 것을 고르세요.

① 5월 3일: May third

② 2030년: two thousand thirty

③ $365: three hundred sixty-five dollars

④ 57,960: fifty-seven thousand nine hundred six

[17~20] 우리말에 맞게 밑줄 친 부분을 바르게 고쳐 쓰세요.

17 She has twentieth sheep.

그녀는 양 20마리를 가지고 있다.

→ _____

18 It's half past eight.

9시 30분이다.

→ _____

19 Brian is her two son.

브라이언은 그녀의 둘째 아들이다.

→ _____

20 That is November 3rd.

11월 3일이다.

→ _____

REVIEW

A 다음 ( ) 안에서 알맞은 것을 고르세요.

❶ I have (three / third) erasers.

❷ (It / That) is 100 meters.

❸ (Do you writing / Are you writing) an e-mail?

❹ Dave is meeting his (two / second) daughter.

❺ We (not listening / aren't listening) to music.

B 우리말에 맞게 주어진 단어를 이용하여 문장을 완성하세요.

❶ 그 남자아이는 연을 만들고 있다. (make)

→ The boy ___is___ ___making___ a kite.

❷ 그는 축구를 하고 있지 않다. (not, play)

→ He _____ _____ _____ soccer.

❸ 8월 4일이다. (August)

→ _____ _____ _____ _____.

❹ 나는 15달러 50센트를 가지고 있다. (dollar)

→ I have _____ _____ and fifty cents.

C 다음 밑줄 친 부분을 바르게 고쳐 쓰세요.

❶ I have twenty-first dollars. → ___twenty-one___

❷ My brothers aren't watch TV. → _____

❸ That is rainy and cold. → _____

CHAPTER 5

의문사 의문문

학습 목표

UNIT 1

의문사 + be동사 의문문

Where is my pencil?

Step 1 의문사가 들어간 be동사 의문문은 어떻게 만들까요?

의문사는 사람이나 사물의 이름, 시간, 장소 등 자세한 정보를 물어볼 때 쓰는 말로, 문장의 맨 앞에 와요.
이때 be동사는 의문사 바로 뒤에 와요.
의문사 What은 현재진행형 의문문과도 함께 쓰일 수 있어요. '~는 무엇을 …하고 있니?'라는 의미를 나타내요.
현재진행형 의문문 맨 앞에 What을 더하면 돼요.

+「의문사 + be동사」 의문문 +

의문사	의문사 + be동사 + 주어?	대답
What 무엇	**What's** your name? 네 이름은 무엇이니?	My name is **Noah**. 내 이름은 노아야.
Who 누구	**Who's** he? 그는 누구니?	He is **my brother**. 그는 내 남동생이야.
When 언제	**When is** your birthday? 네 생일은 언제니?	It's **May 20th**. 5월 20일이야.
Where 어디에(서)	**Where is** my pencil? 내 연필은 어디에 있니?	It's **on the desk**. 그것은 책상 위에 있어.
How 어떤, 어떻게	**How's** the weather? (= What's the weather like?) 날씨가 어떠니?	It's **snowy**. 눈이 와.

> '의문사+is'는 줄여 쓸 수 있어요.

> 의문사로 시작하는 의문문은 Yes나 No로 대답하지 않고 구체적으로 대답해요.

✅ **체크** 날짜, 날씨에 대해 대답할 때는 뜻이 없는 주어인 비인칭 주어 It을 쓰는 것을 꼭 기억하세요.

✅ **체크** be동사의 모양은 바로 다음에 오는 주어에 따라 결정돼요.
Who **is the boys**? (X) Who **are the boys**? (O)

+「What + 현재진행형」 의문문 +

What + am/are/is + 주어 + 동사의 -ing형? ~는 무엇을 …하고 있니?	**Q** What are you **doing**? 너는 무엇을 하고 있니? **A** I'm **watching** TV. 나는 TV를 보고 있어. **Q** What is he **wearing**? 그는 무엇을 입고 있니? **A** He **is wearing** jeans. 그는 청바지를 입고 있어.

✅ **체크** 동사의 -ing형 만드는 법 ☞ CHAPTER 3 현재진행형

A 우리말에 맞게 ( ) 안에서 알맞은 것을 고르세요.

❶ (What / (Where)) is my bag?　　　　　내 가방은 어디에 있니?

❷ (What / Who) is the boy?　　　　　　그 남자아이는 누구니?

❸ (Where / When) is the concert?　　　그 콘서트는 언제니?

❹ (How / What) is your favorite sport?　네가 가장 좋아하는 운동은 무엇이니?

❺ (Where / When) is the bus stop?　　　버스 정류장은 어디에 있니?

❻ (How / What) is she cooking?　　　　그녀는 무엇을 요리하고 있니?

❼ (What / Who) is his name?　　　　　그의 이름은 무엇이니?

❽ (What / How) are you today?　　　　너는 오늘 어떠니?

B 우리말에 맞게 빈칸에 알맞은 '의문사+be동사'를 쓰세요.

❶ 그 여자아이들은 누구니?　　　→ ___Who___ ___are___ the girls?

❷ 네 학교는 어떠니?　　　　　　→ _____ _____ your school?

❸ 내 스카프는 어디에 있니?　　　→ _____ _____ my scarf?

❹ 네 생일은 언제니?　　　　　　→ _____ _____ your birthday?

❺ 그 아이들은 무엇을 입고 있니?　→ _____ _____ the kids wearing?

❻ 박물관은 어디에 있니?　　　　→ _____ _____ the museum?

❼ 그녀의 직업은 무엇이니?　　　→ _____ _____ her job?

❽ 네 가장 친한 친구들은 누구니?　→ _____ _____ your best friends?

C 다음 보기에서 알맞은 말을 골라 문장을 완성하세요.

| 보기 | how | what | when | who | where |

❶ **Q** ___How___ is the weather?   **A** It is sunny.

❷ **Q** _____ is this?   **A** It is a calendar.

❸ **Q** _____ is Children's Day?   **A** It's May 5th.

❹ **Q** _____ is your new house?   **A** It's nice.

❺ **Q** _____ are my glasses?   **A** They're on the desk.

❻ **Q** _____ is the man?   **A** He is my teacher.

❼ **Q** _____ are you doing?   **A** I'm reading a book.

D 다음 밑줄 친 부분을 바르게 고쳐 쓰세요.

❶ **Q** <u>What</u> is the party?   → ___When___

    A It is on Saturday.

❷ **Q** <u>Where</u> is the girl?   → _____

    A She's my cousin.

❸ **Q** <u>How</u> are the dishes?   → _____

    A They are in the kitchen.

❹ **Q** What <u>is</u> those?   → _____

    A They are your books.

❺ **Q** <u>When</u> is your grandma?   → _____

    A She's fine.

❻ **Q** What <u>the children are</u> making?   → _____

    A They are making cookies.

A 알맞은 것에 체크하고, 문장을 완성하세요.

❶ **Q** Where are [my socks]? ☑ Where are ☐ How are

A They are in the drawer.

❷ **Q** [these]? ☐ What are ☐ How are

A They are my new shoes.

❸ **Q** [the man]? ☐ Who is ☐ What is

A He is my uncle.

❹ **Q** [What] [studying]? ☐ Jane is ☐ is Jane

A She's studying math.

B 우리말에 맞게 알맞은 '의문사+be동사'를 넣고, 전체 문장을 다시 쓰세요.

❶ 그의 생일은 언제니?

[birthday] When is [?] [his]

→ When is his birthday?

❷ 네 여동생은 어떻게 지내니?

[?] [your] [sister]

→ _____

❸ 네 친구들은 무엇을 먹고 있니?

[eating] [?] [your] [friends]

→ _____

의문사 + 일반동사 의문문

What does he do?

Step 1 의문사가 들어간 일반동사 의문문은 어떻게 만들까요?

일반동사의 의문문 맨 앞에 의문사를 더하면 **구체적인 정보를 물어볼 때** 쓸 수 있어요.
이때 주어에 따라 do와 does를 알맞게 써야 하는 것을 꼭 기억하세요.

+「의문사 + 일반동사」의문문 +

What + do/does + **주어 + 동사원형 ~?** ~는 무엇을 …하니?	**Q** **What do** you **do** on Saturdays? 너는 토요일마다 무엇을 하니? **A** I **play soccer**. 나는 축구를 해.
When + do/does + **주어 + 동사원형 ~?** ~는 언제 …하니?	**Q** **When does** she **have** lunch? 그녀는 언제 점심을 먹니? **A** She has lunch **at 12:30**. 그녀는 12시 30분에 점심을 먹어.
Where + do/does + **주어 + 동사원형 ~?** ~는 어디에(서) …하니?	**Q** **Where do** you **live**? 너는 어디에 사니? **A** I live **in Seoul**. 나는 서울에 살아.
How + do/does + **주어 + 동사원형 ~?** ~는 어떻게 …하니?	**Q** **How does** he **go** to school? 그는 학교에 어떻게 가니? **A** He goes **by bus**. 그는 버스를 타고 가.

요일에 -s를 붙이면
'매주 ~요일, ~요일마다'
라는 의미예요.

+ do와 does의 쓰임 +

주어가 I / you / we / they 또는 복수 명사일 때	주어가 he / she / it 또는 단수 명사일 때 = 3인칭 단수 주어
의문사 + do + 주어 + 동사원형?	의문사 + does + 주어 + 동사원형?
What do they learn at school? 그들은 학교에서 무엇을 배우니?	**What does he** like? 그는 무엇을 좋아하니?

✓체크 일반동사의 의문문과 마찬가지로 주어에 따라 do와 does를 알맞게 써야 해요.

✓체크 주어 뒤에는 항상 동사원형이 오므로 -s를 붙이지 않도록 주의하세요.
What does he **likes**? (X)

A 　 우리말에 맞게 (　) 안에서 알맞은 것을 고르세요.

❶ What (is / (does)) she like? 　　　　 그녀는 무엇을 좋아하니?

❷ How (are / do) you know him? 　　　　 너는 그를 어떻게 아니?

❸ When does Jessie (go / goes) to bed? 　　 제시는 언제 잠자리에 드니?

❹ What (are / do) you want? 　　　　 너는 무엇을 원하니?

❺ Where do your friends (play / playing)? 　　 네 친구들은 어디에서 놀아?

❻ What does he (do / does) after school? 　　 그는 방과 후에 무엇을 하니?

B 　 우리말에 맞게 보기에서 알맞은 말을 골라 빈칸에 쓰세요.

보기	what	where	when	how	do	does

❶ Natalie(나탈리)는 무엇을 좋아하니?

→ 　 What 　 　 does 　 Natalie like?

❷ 너는 언제 산책을 하니?

→ ＿＿＿＿＿＿＿＿＿ you take a walk?

❸ Jake(제이크)는 일요일마다 무엇을 하니?

→ ＿＿＿＿＿＿＿＿＿ Jake do on Sundays?

❹ 그녀는 방과 후에 어디에 가니?

→ ＿＿＿＿＿＿ ＿＿＿＿＿ she go after school?

❺ 그들은 해변에 어떻게 가니?

→ ＿＿＿＿＿＿＿＿＿ they go to the beach?

C 다음 밑줄 친 부분을 바르게 고쳐 쓰세요.

❶ What <u>do</u> she want? → _____does_____

❷ Where does the man <u>goes</u>? → _____

❸ When <u>does</u> you do your homework? → _____

❹ How does your sister <u>makes</u> pasta? → _____

D 다음 그림을 보고, 주어진 단어를 이용하여 대화를 완성하세요.

1  　2  　3

4  　5  　6

❶ Q ___What___ ___does___ Rick ___do___ every day? (do)

A He **exercises** at the gym.

❷ Q _____ they _____ to school? (go)

A They go to school **by bus**.

❸ Q _____ he _____ ? (cook)

A He cooks **in the kitchen**.

❹ Q _____ _____ you _____ ? (read)

A I read **a newspaper**.

❺ Q _____ _____ koalas _____ ? (eat)

A They eat **leaves**.

❻ Q _____ _____ the class _____ ? (finish)

A It finishes **at 12:40**.

A 알맞은 것에 체크하고, 문장을 완성하세요.

❶ **Q** What does | he | like | ? ☑ What does ☐ What is

A He likes robots.

❷ **Q** | they | live | ? ☐ When do ☐ Where do

A They live in New York.

❸ **Q** | it | begin | ? ☐ When does ☐ How does

A It begins at 9:00 a.m.

B 우리말에 맞게 알맞은 '의문사+do/does'를 넣고, 전체 문장을 다시 쓰세요.

❶ 그것은 어떻게 작동하니?

| work | How does | ? | it |

➜ How does it work?

❷ 네 이모들은 무슨 일을 하시니?

| your aunts | ? | do |

➜ _____

❸ 그 가게는 언제 여니?

| open | the store | ? |

➜ _____

❹ 그 학생들은 어디에서 점심을 먹나요?

| the students | lunch | have | ? |

➜ _____

UNIT 3

Whose cap is this?

Step 1  의문사 뒤에 명사 등이 오는 의문문에 대해 알아볼까요?

의문사 What과 Whose는 바로 뒤에 명사를 써서 구체적인 내용을 물을 때도 쓰여요.
의문사 How는 나이나 가격을 물을 때 쓸 수 있어요.

+ 「What + 명사」 의문문 +

	질문	대답
What color 무슨 색	**What color** is it? 그것은 무슨 색이니?	It's **green.** 그것은 초록색이야.
What time 몇 시	**What time** do you get up? 너는 몇 시에 일어나니?	I get up at **7 o'clock.** 나는 7시에 일어나.
What day 무슨 요일	**What day** is it? 무슨 요일이니?	It's **Thursday.** 목요일이야.
What grade 몇 학년	**What grade** are you in? 너는 몇 학년이니?	I'm in **the third grade.** 나는 3학년이야.

+ 「Whose + 명사」 의문문 +

	질문	대답
Whose + 명사 누구의 ~ (소유)	**Whose cap** is this? 이것은 누구의 야구모자니? **Whose books** are those? 저것들은 누구의 책이니?	It is **mine.** 그것은 내 거야. They are **Jake's.** 그것들은 제이크의 것이야.

> 소유격이나 소유대명사를 사용해서 대답해요.

✔체크 명사로 '~의, ~의 것'이라는 의미를 나타낼 때는 명사 뒤에 's를 붙여요.
This is **Jake's** book. (이것은 제이크의 책이야.) This is **Jake's.** (이것은 제이크의 것이야.)

+ How로 시작하는 의문문 +

	질문	대답
How old 몇 살 (나이)	**How old** are you? 너는 몇 살이니?	I'm **11 years old.** 나는 11살이야.
How much 얼마 (가격)	**How much** is it? 그것은 얼마인가요?	It's **30 dollars.** 30달러입니다.

A 우리말에 맞게 ( ) 안에서 알맞은 것을 고르세요.

❶ (How / What) much is the blanket?　　　그 담요는 얼마인가요?

❷ What (day / time) is it?　　　무슨 요일이니?

❸ (What / How) old are you?　　　너는 몇 살이니?

❹ (How / What) color is the cat?　　　그 고양이는 무슨 색이니?

❺ (Whose / What) textbook is it?　　　그것은 누구의 교과서니?

❻ What (time / day) do you get up?　　　너는 몇 시에 일어나니?

❼ (What / Whose) grade is your brother in?　　　네 오빠는 몇 학년이니?

❽ How (much / old) are the tickets?　　　그 표들은 얼마인가요?

B 다음 질문을 읽고, 알맞은 응답에 연결하세요.

❶ **What day** is it?　　　A　　It's 12 dollars.

❷ **How much** is it?　　　B　　They are mine.

❸ **What time** is it?　　　C　　She's in the first grade.

❹ **What color** is your bag?　　　D　　It's Wednesday.

❺ **Whose glasses** are these?　　　E　　It's 12:30.

❻ **How old** is your dog?　　　F　　It's black.

❼ **What grade** is she in?　　　G　　It's three years old.

C

다음 그림을 보고, 보기에서 알맞은 말을 골라 대화를 완성하세요.

1
2
3

4
5
6

보기	what	whose	how	much	time	day	old	color

❶ **Q** ___What___ ___color___ is the tube?   **A** It's yellow.

❷ **Q** _____ helmet is that?   **A** It's Jen's.

❸ **Q** _____ _____ are they?   **A** They're 40 dollars.

❹ **Q** _____ _____ is it?   **A** It's 11:15.

❺ **Q** _____ _____ is it?   **A** It's Friday.

❻ **Q** _____ _____ is your son?   **A** He's 10 years old.

D

우리말에 맞게 빈칸에 알맞은 말을 쓰세요.

❶ ___Whose bag___ is this?   이것은 누구의 가방이니?

❷ _____ are the twins?   그 쌍둥이는 몇 살이니?

❸ _____ are Anna and Lisa in?   안나와 리사는 몇 학년이니?

❹ _____ are these?   이것들은 얼마인가요?

❺ _____ is your pencil case?   네 필통은 무슨 색이니?

❻ _____ do you go to school?   너는 몇 시에 학교에 가니?

A 알맞은 것에 체크하고, 문장을 완성하세요.

❶ **Q** How old [is] [she] ? ☑ How old ☐ What day
   A She is 7 years old.

❷ **Q** [are] [those] ? ☐ What color ☐ What grade
   A They're blue.

❸ **Q** [is] [this] ? ☐ What jacket ☐ Whose jacket
   A It's my sister's.

❹ **Q** [are] [these] ? ☐ How old ☐ How much
   A They are 45 dollars.

B 우리말에 맞게 알맞은 단어를 넣고, 전체 문장을 다시 쓰세요.

❶ 네 여동생은 몇 학년이니?

   [?] [your sister] What grade [is] [in]

   → What grade is your sister in?

❷ 이것들은 누구의 부츠인가요?

   [are] [?] [boots] [these]

   → _____

❸ 너는 몇 시에 저녁을 먹니?

   [eat] [you] [?] [do] [dinner]

   → _____

[01~04] 다음 ( ) 안에서 알맞은 것을 고르세요.

01

Q (Who / Where) is Jason?

A He's in the library.

02

Q (What / How) is she studying?

A She's studying English.

03

Q (What / How) is the weather?

A It's rainy.

04

Q (Whose / What) color is her hair?

A It's brown.

[05~06] 다음 빈칸에 들어갈 말로 알맞은 것을 고르세요.

05

Q _____ is my soccer ball?

A It is under the chair.

① What ② Where
③ Who ④ When

06

Q _____ is this?

A It's 50 dollars.

① How much ② What color
③ What grade ④ How old

[07~10] 다음 보기에서 알맞은 말을 골라 대화를 완성하세요.

<보기> when whose who what

07 Q _____ is Aaron's birthday?

A It's April 17th.

08 Q _____ day is it today?

A It's Tuesday.

09 Q _____ are they?

A They're my friends.

10 Q _____ jacket is this?

A It's my brother's.

[11~13] 다음 빈칸에 공통으로 들어갈 말로 알맞은 것을 고르세요.

11

· _____ do you want?

· _____ grade are you in?

① Where ② How

③ Who ④ What

12

· _____ are you today?

· _____ old is she?

① Who ② Where

③ How ④ What

13

· _____ house is that?

· _____ shoes are these?

① Where ② When

③ How ④ Whose

14 다음 빈칸에 들어갈 말이 나머지와 <u>다른</u> 것을 고르세요.

① _____ are you?

② _____ much are they?

③ _____ grade are you in?

④ _____ old is your brother?

[15~17] 다음 밑줄 친 부분을 바르게 고쳐 쓰세요.

15 What <u>Jamie is</u> cooking?

→ _____

16 How old <u>is</u> the children?

→ _____

17 <u>What</u> is the weather today?

→ _____

[18~20] 우리말에 맞게 주어진 말을 바르게 배열하세요.

18 너는 뭐 하고 있니?

(are / what / doing / you / ?)

→ _____

19 그 튤립들은 얼마인가요?

(the tulips / how / much / are / ?)

→ _____

20 그 스웨터는 무슨 색이니?

(color / ? / is / what / the sweater)

→ _____

REVIEW

A 다음 (   ) 안에서 알맞은 것을 고르세요.

❶ I have (four / fourth) classes today.

❷ What (is / does) Julie watching?

❸ Her (two / second) son is a vet.

❹ How (do / does) she go to school?

❺ The office is on the (oneth / first) floor.

B 우리말에 맞게 보기에서 알맞은 것을 골라 대화를 완성하세요.

보기	what	where	whose	how	time
	much	it	does	thirty	fifth

❶ Q _____Whose_____ pencils are those?　　　　저것들은 누구의 연필들이니?

A They are Mike's.　　　　그것들은 마이크의 것이야.

❷ Q _____ _____ she work?　　　　그녀는 어디에서 일하나요?

A She works at a zoo.　　　　그녀는 동물원에서 일해요.

❸ Q _____ is the date today?　　　　오늘은 며칠이니?

A It's June _____ .　　　　6월 5일이야.

❹ Q _____ _____ is this?　　　　이것은 얼마인가요?

A It's _____ dollars.　　　　30달러입니다.

❺ Q _____ _____ is it?　　　　몇 시니?

A It's half past three.　　　　3시 30분이야.

❻ Q _____ day is _____ today?　　　　오늘은 무슨 요일이니?

A _____ is Sunday.　　　　일요일이야.

CHAPTER 6

형용사와 부사

학습 목표

UNIT 1 **형용사**

형용사가 문장에서 어떤 역할을 하는지 알고, 알맞은 자리에
형용사를 쓸 수 있어요.

I am sleepy.

UNIT 2 **부사**

부사가 문장에서 어떤 역할을 하는지 알고, 알맞은 형태로 쓸 수
있어요.

I am very sleepy.

UNIT 1 형용사 I am **sleepy**.

Step 1 형용사란 무엇일까요?

형용사는 기분, 외모, 크기, 모양, 색 등을 나타내는 말이에요.
명사 앞에서 명사를 더 자세하게 꾸며주거나 be동사 뒤에서 주어의 상태나 성질을 설명해주는 역할을 해요.

✛ 형용사의 쓰임 ✛

형용사	형용사 + 명사 명사를 꾸며줄 때 (~한)	be동사 + 형용사 명사(주어)의 상태나 성질을 설명해줄 때 (~하다)
cute 귀여운	It is **a cute cat.** 그것은 귀여운 고양이야. (명사 cat을 꾸며주는 말)	The cat **is cute.** 그 고양이는 귀여워. (주어 The cat을 설명해주는 말)
short 짧은	I have **short pencils.** 나는 짧은 연필들이 있어. (명사 pencils를 꾸며주는 말)	My pencils **are short.** 내 연필들은 짧아. (주어 My pencils를 설명해주는 말)
new 새로운	This is **her new car.** 이것은 그녀의 새 차야. (명사 car를 꾸며주는 말)	Her car **is new.** 그녀의 차는 새것이야. (주어 Her car를 설명해주는 말)

✔체크 a/an/the와 소유격 대명사는 형용사 앞에 쓰여요.

✔체크 형용사의 발음이 모음(a, e, i, o, u)으로 시작하면 앞에 an을 써야 해요.
a question → **an easy** question (쉬운 문제)

✛ 명사의 수와 양을 나타내는 형용사 ✛

many + 복수 명사	(수가) 많은	Tina has **many friends.** 티나는 많은 친구들이 있다.
much + 셀 수 없는 명사	(양이) 많은	I don't need **much money.** 나는 많은 돈이 필요하지 않다.

> 셀 수 없는 명사에는
> water(물), time(시간),
> money(돈), homework(숙제)
> 등이 있어요.

A 다음 문장에서 형용사를 찾아 동그라미하세요.

❶ Lewis has a (nice) watch.   루이스는 좋은 손목시계를 가지고 있다.

❷ I am thirsty now.   나는 지금 목이 마르다.

❸ He has a red balloon.   그는 빨간 풍선을 가지고 있다.

❹ The boxes are heavy.   그 상자들은 무겁다.

❺ She reads many books.   그녀는 많은 책을 읽는다.

❻ Judy and Ted are busy.   주디와 테드는 바쁘다.

❼ I don't like rainy days.   나는 비 오는 날을 좋아하지 않는다.

B 다음 그림을 보고, 보기에서 알맞은 말을 골라 문장을 완성하세요.

| 보기 | slow | fast | hot | cold | old | new | short | long |

❶ The coffee is ___hot___ .

The soda is ___cold___ .

❷ The girl has _____ hair.

The boy has _____ hair.

❸ The rabbit is _____ .

The turtle is _____ .

❹ Ted   Ben

Ted has _____ shoes.

Ben has _____ shoes.

C 다음 빈칸에 알맞은 말을 넣어 문장을 완성하세요.

❶ The dog is cute. 그 개는 귀엽다.
→ It is a _____cute_____ _____dog_____ .

❷ The boy is tall. 그 남자아이는 키가 크다.
→ He is a _____ _____ .

❸ It is a large house. 그것은 큰 집이다.
→ The house _____ _____ .

❹ The suitcase is heavy. 그 여행 가방은 무겁다.
→ It is a _____ _____ .

❺ It is a difficult question. 그것은 어려운 문제이다.
→ The question _____ _____ .

❻ They are delicious hamburgers. 그것들은 맛있는 햄버거들이다.
→ The hamburgers _____ _____ .

D 다음 밑줄 친 부분을 바르게 고쳐 쓰세요.

❶ That is building a tall. → _____a tall building_____

❷ Look at green her hair. → _____

❸ Sally wants much flowers. → _____

❹ We have plan a great. → _____

❺ We don't have many butter. → _____

❻ This is a interesting book. → _____

❼ The house has many window. → _____

A 알맞은 것에 체크하고, 문장을 완성하세요.

➊ [Jay] [has] blue eyes . ☑ blue eyes ☐ eyes blue

➋ [Today] [is] . ☐ a day rainy ☐ a rainy day

➌ [Suji] [has] [shoes] . ☐ much ☐ many

B 우리말에 맞게 보기에서 알맞은 단어를 골라 쓴 다음, 전체 문장을 다시 쓰세요.

보기 many much new brave expensive

➊ 그 사과들은 비싸다.

[are] [The apples] expensive .

→ The apples are expensive.

➋ 나는 그의 새로운 노래가 마음에 든다.

[song] [I] [his] [like] .

→ _____

➌ 그 요리사는 많은 설탕을 사용하지 않는다.

[sugar] [doesn't use] [The cook] .

→ _____

➍ 내 삼촌은 용감한 소방관이시다.

[firefighter] [is] [My uncle] [a] .

→ _____

UNIT 2

I am **very** sleepy.

Step 1 부사란 무엇일까요?

부사는 동사나 형용사, 또는 다른 부사를 더 자세하게 꾸며주는 말이에요.
대부분의 부사는 형용사 뒤에 '-ly'를 붙여서 만들지만, 모든 부사가 그런 것은 아니므로 주의해야 해요.

+ 부사의 쓰임 +

동사 + 부사 동사를 꾸며줄 때		The children **are playing** happily. 그 아이들은 행복하게 놀고 있다. (동사 are playing을 자세하게 꾸며주는 말)
		He **studies** math hard. 그는 수학을 열심히 공부한다. (동사 studies를 자세하게 꾸며주는 말)
부사 + 형용사 형용사를 꾸며줄 때		They are **very small**. 그것들은 매우 작아. (형용사 small을 자세하게 꾸며주는 말)
부사 + 부사 다른 부사를 꾸며줄 때		Ian sings **really well**. 이안은 노래를 정말 잘 부른다. (부사 well을 자세하게 꾸며주는 말)

✓체크 형용사는 부사 자리에 쓰일 수 없어요. 형용사는 be동사 뒤에 오고, 부사는 주로 일반동사 뒤에 와요.
They sing **happy**. (X) They are **happy**. (O) They sing **happily**. (O)

+ 부사의 형태 +

대부분의 형용사	+ -ly	slow 느린 → slowly 느리게 quiet 조용한 → quietly 조용하게
'자음+y'로 끝나는 형용사	y를 i로 고치고 + -ly	happy 행복한 → happily 행복하게 easy 쉬운 → easily 쉽게
형용사와 부사의 모양이 같은 경우	early 이른 → early 일찍 fast 빠른 → fast 빠르게	late 늦은 → late 늦게 high 높은 → high 높게

✓체크 형용사와 부사의 모양이 전혀 다른 경우: good(좋은) → **well**(잘)
형용사와 부사의 모양은 같지만 뜻이 달라지는 경우: hard(어려운, 딱딱한) → **hard**(열심히)

Step 2 · 문제를 풀며 이해해요.

A 다음 문장에서 부사를 찾아 동그라미하세요.

❶ He gets up (early).　　　　　　　　그는 일찍 일어난다.

❷ It is really cold.　　　　　　　　　정말 춥다.

❸ The baby cries loudly.　　　　　　그 아기는 큰 소리로 운다.

❹ Kevin plays the violin well.　　　　케빈은 바이올린을 잘 연주한다.

❺ My dad drives safely.　　　　　　　나의 아빠는 안전하게 운전하신다.

❻ The taxi driver is very kind.　　　　그 택시 기사님은 매우 친절하시다.

❼ Andy eats slowly.　　　　　　　　　앤디는 천천히 먹는다.

B 다음 빈칸에 알맞은 부사를 쓰세요.

❶ easy　　　쉬운　　→ ___easily___　　쉽게

❷ dangerous　위험한　→ _____　위험하게

❸ bright　　밝은　　→ _____　밝게

❹ kind　　　친절한　→ _____　친절하게

❺ early　　　이른　　→ _____　일찍

❻ happy　　행복한　→ _____　행복하게

❼ sad　　　슬픈　　→ _____　슬프게

❽ quiet　　조용한　→ _____　조용하게

❾ lucky　　운 좋은　→ _____　운 좋게

C 다음 그림을 보고, 주어진 두 단어 중 알맞은 것을 고른 다음, 문장을 완성하세요.

1  **2**  **3**  **4**

❶ quiet / (quietly)   The girl reads ____quietly____ .

❷ good / well   The children climb trees _____ .

❸ kind / kindly   David is very _____ .

❹ happy / happily   They are playing in the snow _____ .

D 우리말에 맞게 주어진 단어를 빈칸에 알맞은 형태로 쓰세요.

❶ 달이 밝게 빛나고 있다. (bright)

→ The moon is shining ____brightly____ .

❷ Jenny(제니)는 그림을 아름답게 그린다. (beautiful)

→ Jenny draws pictures _____ .

❸ 내 여동생은 늦게 잠자리에 든다. (late)

→ My sister goes to bed _____ .

❹ 그는 시끄러운 음악을 듣는다. (loud)

→ He listens to _____ music.

❺ Henry(헨리)는 프랑스어를 잘한다. (good)

→ Henry speaks French _____ .

A 알맞은 것에 체크하고, 문장을 완성하세요.

❶ | My friend | | sings | well . ☐ good ☑ well

❷ | The store | | closes | . ☐ early ☐ earlily

❸ | He | | is smiling | . ☐ sad ☐ sadly

❹ | The airplane | | flies | . ☐ fast ☐ fastly

❺ | The bed | | is | | really | . ☐ soft ☐ softly

B 우리말에 맞게 보기에서 알맞은 단어를 골라 바꿔 쓴 다음, 전체 문장을 다시 쓰세요.
(부사가 동사 뒤에 오도록 쓰세요.)

보기   easy   dangerous   hard

❶ 그는 그의 차를 위험하게 운전한다.

dangerously | his car | | He | | drives | .

→ He drives his car dangerously.

❷ Luke(루크)는 매우 열심히 일한다.

| works | | Luke | | very | .

→ _____

❸ 그녀는 퍼즐을 쉽게 푼다.

| puzzles | | She | | solves | .

→ _____

CHAPTER EXERCISE

정답과 해설 p.23

[01~02] 다음 중 형용사와 부사가 잘못 짝지어진 것을 고르세요.

01 ① fast - fast
    ② quiet - quietly
    ③ busy - busyly
    ④ dangerous - dangerously

02 ① slow - slowly
    ② late - lately
    ③ high - high
    ④ nice - nicely

[03~06] 다음 ( ) 안에서 알맞은 것을 고르세요.

03 I don't drink (many / much) milk.

04 The strawberries are (sweet / sweetly).

05 Kangaroos can jump very (high / highly).

06 Look at the (happy / happily) boy.

[07~08] 다음 그림을 보고, 보기에서 알맞은 단어를 골라 빈칸에 쓰세요.

<보기>	careful	carefully
	many	much

07

My grandma walks _____.

08

The farmer has _____ horses.

09 다음 빈칸에 공통으로 들어갈 말로 알맞은 것을 고르세요.

· The bread is _____.
· My sister studies very _____.

① early   ② well
③ late   ④ hard

10 다음 빈칸에 들어갈 말로 알맞지 <u>않은</u> 것을 고르세요.

Jason is a _____ boy.

① smart   ② good
③ loudly   ④ handsome

[11~12] 다음 밑줄 친 부분이 <u>잘못된</u> 것을 고르세요.

11 ① I want <u>cold water</u>.
② It is <u>nice a shirt</u>.
③ Tony has <u>brown hair</u>.
④ Look at <u>the big boat</u>.

12 ① I go to bed <u>early</u>.
② She draws comics <u>good</u>.
③ He doesn't work <u>hard</u>.
④ The plane flies <u>high</u> in the sky.

[13~14] 다음 주어진 단어를 알맞은 빈칸에 쓰세요.

13 (beautiful, beautifully)
The singer sings _____.
It is a _____ song.

14 (quiet, quietly)
Be _____ in the library.
Cats move _____.

[15~17] 우리말에 맞게 주어진 단어를 이용하여 문장을 완성하세요.

15 그는 매일 학교에 늦는다. (late)
→ He's _____ for school every day.

16 John(존)은 빨리 말한다. (fast)
→ John speaks _____.

17 당신의 지갑을 안전한 곳에 두세요. (safe)
→ Keep your wallet in a _____ place.

[18~20] 다음 밑줄 친 부분을 바르게 고쳐 쓰세요.

18 The car doesn't need <u>many</u> gas.
→ _____

19 The actor has a <u>nicely</u> voice.
→ _____

20 Does he ask many <u>question</u>?
→ _____

REVIEW

A 다음 ( ) 안에서 알맞은 것을 고르세요.

❶ ((What) / Whose) time is it?

❷ Where does Jessica (live / lives)?

❸ Mr. Green is a (careful / carefully) driver.

❹ Do you need (many / much) time?

❺ (What / How) color is her hair?

B 우리말에 맞게 보기에서 알맞은 것을 골라 문장을 완성하세요.

보기	do	does	many	much
	what	when	whose	how

❶ ___What___ ___does___ the store sell? 　그 가게는 무엇을 판매하나요?

❷ The factory makes _____ tables. 　그 공장은 많은 탁자를 만든다.

❸ _____ brother is the boy? 　그 남자아이는 누구의 형이니?

❹ We don't need _____ honey. 　우리는 많은 꿀이 필요하지 않다.

❺ _____ _____ are these? 　이것들은 얼마인가요?

C 다음 밑줄 친 부분을 바르게 고쳐 쓰세요.

❶ She plays the piano <u>beautiful</u>. → ___beautifully___

❷ When <u>do</u> the movie start? → _____

❸ Mr. David is <u>favorite my</u> teacher. → _____

CHAPTER 7

전치사

학습 목표

UNIT 1 **장소를 나타내는 전치사**

장소를 나타내는 명사 앞에 알맞은 전치사를 쓸 수 있어요.

It's **on** the sofa.

UNIT 2 **시간을 나타내는 전치사**

시간을 나타내는 명사 앞에 알맞은 전치사를 쓸 수 있어요.

I get up **at** 8 o'clock.

UNIT 1

It's **on** the sofa.

Step 1 전치사란 무엇일까요?

전치사는 '앞에 놓인 말'이라는 뜻으로 명사나 대명사 앞에 쓰여 장소, 위치, 방향, 시간 등을 나타내는 말이에요.
장소의 전치사는 장소나 위치, 방향을 나타낼 때 쓰여요.

+ 장소/위치를 나타내는 전치사 +

> 도시나 나라 이름
> 앞에도 in을 써요.
> **in** Seoul, **in** Korea

in	~ 안에, ~에 (내부, 넓은 장소)		The students are **in the classroom.** 학생들이 교실 안에 있다.
at	~에 (좁은 장소, 특정한 지점)		Susie is **at the bus stop.** 수지는 버스 정류장에 있다.
on	~ 위에 (표면에 닿은)		The dog is **on the log.** 그 개는 통나무 위에 있다.
under	~ 아래에		The bear is **under the tree.** 그 곰은 나무 아래에 있다.
in front of	~ 앞에		The cat is **in front of the box.** 그 고양이는 상자 앞에 있다.
behind	~ 뒤에		The bird is **behind the box.** 그 새는 상자 뒤에 있다.
next to	~ 옆에		The hen is **next to the eggs.** 그 암탉은 달걀들 옆에 있다.
between A and B	A와 B 사이에		The library is **between the bakery and the theater.** 도서관은 빵집과 영화관 사이에 있다.

A 우리말에 맞게 ( ) 안에서 알맞은 것을 고르세요.

1 바구니 안에 → ((in) / in front of) the basket

2 식탁 위에 → (under / on) the table

3 창문 옆에 → (in front of / next to) the window

4 기차역에 → (at / under) the train station

5 나무 아래에 → (under / on) the tree

6 극장 뒤에 → (next to / behind) the theater

7 트럭 앞에 → (at / in front of) the truck

8 침대와 책장 사이에 → (between / under) the bed and the bookshelf

B 우리말에 맞게 보기에서 알맞은 말을 골라 문장을 완성하세요.

보기   on   under   behind   next to   in front of

1 토끼들이 나무 아래에 있다.

→ The rabbits are _____under_____ the tree.

2 도서관은 공원 옆에 있다.

→ The library is _____ the park.

3 그 아이는 소파 뒤에 숨어 있다.

→ The child is hiding _____ the sofa.

4 네 휴대전화는 책상 위에 있어.

→ Your cellphone is _____ the desk.

5 사람들이 빵집 앞에서 기다리고 있다.

→ People are waiting _____ the bakery.

C 다음 그림을 보고, ( ) 안에서 알맞은 것을 고르세요.

1   2   3

4   5   6

❶ The dress is ((on) / under) the bed.

❷ The cat is sitting (at / under) the table.

❸ The bookstore is (next to / in front of) the bank.

❹ The penguin is (on / in) the igloo.

❺ Chris is standing (at / on) the door.

❻ The cat is (between / behind) the shopping bag.

D 우리말에 맞게 주어진 단어와 전치사를 이용하여 문장을 완성하세요.

❶ 그의 사촌은 시드니에 산다. (Sydney)

→ His cousin lives _____in Sydney_____.

❷ 러그는 바닥 위에 있다. (the floor)

→ The rug is _____.

❸ 축구공이 책상 아래에 있다. (the desk)

→ A soccer ball is _____.

❹ 그 아이들은 Jenny(제니) 옆에 앉아 있다. (Jenny)

→ The kids are sitting _____.

❺ 그녀의 사무실은 은행과 서점 사이에 있다. (the bank, the bookstore)

→ Her office is _____.

A 다음 그림을 보고 알맞은 것에 체크한 다음, 문장을 완성하세요.

① The bird | is | in | the box . ☑ in ☐ next to

② The bird | is | | the box . ☐ on ☐ under

③ The bird | is | | the box . ☐ in ☐ next to

④ The bird | is | | the box . ☐ at ☐ under

B 우리말에 맞게 알맞은 전치사를 넣고, 전체 문장을 다시 쓰세요.

① 그 남자아이는 Jim(짐)과 Mary(메리) 사이에 있다.

and | Jim | The boy | is | between | Mary .

→ The boy is between Jim and Mary.

② 강이 다리 아래로 흐른다.

the bridge | flows | The river .

→ _____

③ 내 남동생은 거울 앞에 서 있다.

the mirror | is standing | My brother .

→ _____

시간을 나타내는 전치사

I get up **at** 8 o'clock.

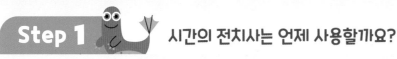

Step 1 시간의 전치사는 언제 사용할까요?

시간의 전치사는 시간을 나타내는 명사 앞에 쓰여요.
우리말 뜻으로만 구분하기 어렵기 때문에 뒤에 오는 명사에 따라 각각 알맞은 전치사를 써야 해요.

+ 시간을 나타내는 전치사 +

> 전치사 at, on, in은 시간을 나타내는 말 앞에도 쓰여요. 모두 '~에'로 해석되지만, 그 쓰임은 각각 달라요.

at	구체적인 시각, 하루의 때	I play soccer **at 3 o'clock.** 나는 3시 정각에 축구를 한다. I have dinner **at 6:30 p.m.** 나는 오후 6시 30분에 저녁식사를 한다. We have lunch **at noon.** 우리는 정오(낮 12시)에 점심을 먹는다.
on	요일, 날짜, 특정한 날	I have a math class **on Monday.** 나는 월요일에 수학 수업이 있다. Andy's birthday is **on July 10th.** 앤디의 생일은 7월 10일이다. Lisa has a party **on her birthday.** 리사는 그녀의 생일에 파티를 한다.
in	월, 계절, 연도	His birthday is **in June.** 그의 생일은 6월이다. We go skiing **in winter.** 우리는 겨울에 스키를 타러 간다.
	아침, 오후, 저녁	She gets up early **in the morning.** 그녀는 아침에 일찍 일어난다.

✓ **체크** '전치사 on+요일'에서 요일 뒤에 -s를 붙이면 '~마다'라는 뜻이 돼요.
My dad goes fishing **on Sundays.** (아빠는 **일요일마다** 낚시하러 가신다.)

✓ **체크** **in** the morning → **at** noon → **in** the afternoon → **in** the evening → **at** night → **at** midnight
　　　아침에　　정오(낮 12시)에　　오후에　　　저녁에　　　밤에　　자정(밤 12시)에

A 다음 ( ) 안에서 알맞은 것을 고르세요.

❶ ((in) / on) April   4월에

❷ (on / at) Saturday   토요일에

❸ (in / on) the evening   저녁에

❹ (on / at) 12 o'clock   12시 정각에

❺ (at / in) 2025   2025년에

❻ (on / at) March 15th   3월 15일에

❼ (in / on) New Year's Day   새해 첫날에

B 우리말에 맞게 보기에서 알맞은 말을 골라 문장을 완성하세요.

보기	at on in

❶ 그들은 오후에 축구를 한다.

→ They play soccer ___in___ the afternoon.

❷ 그 콘서트는 9월 10일에 있다.

→ The concert is _____ September 10th.

❸ 그녀의 생일은 11월이다.

→ Her birthday is _____ November.

❹ 그 가게는 9시 정각에 문을 연다.

→ The shop opens _____ 9 o'clock.

❺ 그는 토요일에 일하지 않는다.

→ He doesn't work _____ Saturdays.

❻ 우리는 가을에 축제가 있다.

→ We have a festival _____ fall.

C

우리말에 맞게 밑줄 친 부분을 바르게 고쳐 쓰세요.

❶ I have breakfast in 7:30.
나는 7시 30분에 아침식사를 한다.

→ _____at_____

❷ It is very hot on August.
8월에는 매우 덥다.

→ _____

❸ We have a party at Christmas Day.
우리는 크리스마스 날에 파티를 한다.

→ _____

❹ He doesn't drink coffee on night.
그는 밤에 커피를 마시지 않는다.

→ _____

❺ She has science class in Fridays.
그녀는 금요일마다 과학 수업이 있다.

→ _____

❻ My mom exercises on the evening.
엄마는 저녁에 운동하신다.

→ _____

D

우리말에 맞게 주어진 단어와 전치사를 이용하여 문장을 완성하세요.

❶ 그는 일요일마다 늦게 일어난다. (Sundays)
→ He gets up late _____on Sundays_____ .

❷ 우리는 봄에 캠핑을 간다. (spring)
→ We go camping _____ .

❸ 그 서점은 10시 정각에 문을 닫는다. (10 o'clock)
→ The bookstore closes _____ .

❹ Sally(샐리)의 생일은 6월 15일이다. (June 15th)
→ Sally's birthday is _____ .

❺ 그 아이들은 오후에 숙제를 한다. (the afternoon)
→ The kids do their homework _____ .

❻ 너는 네 생일날 뭐하니? (your birthday)
→ What do you do _____ ?

A 알맞은 것에 체크하고, 문장을 완성하세요.

❶ | My birthday | | is | in | March | . ✓ in ☐ on

❷ | The store | | opens | | 8 o'clock | . ☐ in ☐ at

❸ | He | | studies Spanish | | Mondays | . ☐ on ☐ in

❹ | I | | drink milk | | the morning | . ☐ at ☐ in

B 우리말에 맞게 알맞은 전치사를 넣고, 전체 문장을 다시 쓰세요.

❶ 내 친구들은 토요일마다 축구를 한다.

| Saturdays | | play soccer | on | My friends | .

→ My friends play soccer on Saturdays.

❷ 우리는 여름에 해변에 간다.

| summer | | go to the beach | | We | .

→ _____

❸ Jason(제이슨)은 밤에 TV를 보지 않는다.

| watch TV | | doesn't | Jason | night | .

→ _____

❹ 어린이날은 5월 5일이다.

| May | | is | | 5th | Children's Day | .

→ _____

[01~02] 우리말에 맞게 빈칸에 들어갈 말로 알맞은 것을 고르세요.

01

My house is _____ the park.

내 집은 공원 옆에 있다.

① between　　② next to
③ under　　　④ in front of

02

The game starts _____ 6:30.

그 경기는 6시 30분에 시작한다.

① on　　② in
③ under　④ at

[03~05] 우리말에 맞게 (　) 안에서 알맞은 것을 고르세요.

03 내 생일은 11월 10일이다.
→ My birthday is (in / on) November 10th.

04 그의 실내화는 침대 아래에 있다.
→ His slippers are (on / under) the bed.

05 사람들이 버스 정류장에서 기다리고 있다.
→ People are waiting (at / on) the bus stop.

[06~09] 다음 그림을 보고, 보기에서 알맞은 말을 골라 문장을 완성하세요.

<보기>　in　on　under　behind

06

The gifts are _____ the Christmas tree.

07

The pot is _____ the box.

08

The baby ducks are _____ their mom.

09

The cat is _____ the chair.

[10~11] 다음 밑줄 친 부분이 잘못된 것을 고르세요.

10 ① The mall opens <u>at</u> 10 o'clock.

② They have a test <u>in</u> May 7th.

③ We watch movies <u>on</u> Fridays.

④ She does yoga <u>in</u> the morning.

11 ① A bag is <u>next to</u> the table.

② The cat is <u>under</u> the chair.

③ We are studying <u>in</u> the library.

④ They are sitting <u>in front</u> the TV.

[12~14] 다음 빈칸에 공통으로 들어갈 알맞은 전치사를 쓰세요

12

· We go camping _____ Fridays.

· The oranges are _____ the table.

13

· It is cold _____ winter.

· The birds are _____ the cage.

14

· My school begins _____ 9 a.m.

· Let's meet _____ the bus stop.

[15~20] 우리말에 맞게 주어진 단어와 전치사를 이용하여 문장을 완성하세요.

15 내 언니의 생일은 1월이다. (January)

→ My sister's birthday is _____

_____ .

16 그 병원은 박물관 옆에 있다. (the museum)

→ The hospital is _____

_____ .

17 그 꽃집은 서점과 빵집 사이에 있다. (the bookstore)

→ The flower shop is _____

_____ and the bakery.

18 Nate(네이트)는 9시에 잠자리에 든다. (9:00)

→ Nate goes to bed _____ .

19 그녀의 언니는 중국에 산다. (China)

→ Her sister lives _____ .

20 택시 한 대가 그 건물 앞에 있다. (the building)

→ A taxi is _____

_____ .

REVIEW

A 다음 ( ) 안에서 알맞은 것을 고르세요.

❶ My uncle lives (at / (in)) London.

❷ She has (many / much) shoes.

❸ The bird flies (high / highly).

❹ Ms. Green is a (well / good) teacher.

❺ The store doesn't open (in / on) Sundays.

B 우리말에 맞게 보기에서 알맞은 것을 골라 문장을 완성하세요.

보기	in at next to beautiful beautifully

❶ I do my homework _____at_____ 4 o'clock.   나는 4시에 숙제를 한다.

❷ Her song is _____.   그녀의 노래는 아름답다.

❸ The table is _____ the bed.   탁자는 침대 옆에 있다.

❹ The boy sings _____.   그 남자아이는 아름답게 노래한다.

❺ He eats an apple _____ the morning.   그는 아침에 사과 한 개를 먹는다.

C 다음 밑줄 친 부분을 바르게 고쳐 쓰세요.

❶ He stays home <u>in</u> night.   → _____at_____

❷ Ted runs very <u>fastly</u>.   → _____

❸ Sarah is <u>a girl smart</u>.   → _____

왓츠 그래여!

FINAL TEST 1회

[01~02] 다음 밑줄 친 부분을 인칭대명사로
바꿀 때 알맞은 것을 고르세요.

01
She loves <u>the movie</u>.

① they   ② it
③ them   ④ its

02
<u>The girl</u> plays soccer.

① Her   ② It
③ She   ④ He

[03~04] 다음 밑줄 친 부분을 바르게 고친 것을
고르세요.

03
These are <u>you</u> erasers.

① yours   ② your
③ mine   ④ I

04
The jacket is <u>her</u>.

① hers   ② she
③ my   ④ he

[05-06] 우리말에 맞게 ( ) 안에서 알맞은 것
을 고르세요.

05 이것은 우산이다.

→ (This / That) (is / are) an
umbrella.

06 저 아이들은 그의 사촌들이다.

→ (That / Those) (is / are) his
cousins.

07 다음 빈칸에 들어갈 말이 바르게 짝지어
진 것을 고르세요.

> • Jenny _____ to school.
> • Bob _____ the button.

① go - push
② go - pushes
③ goes - pushes
④ goes - pushs

08 다음 빈칸에 들어갈 말로 알맞지 <u>않은</u>
것을 고르세요.

> Does _____ live in Busan?

① her sister   ② Emily
③ Tommy   ④ your friends

[09~10] 다음 보기에서 알맞은 말을 골라 대화를 완성하세요.

<보기>   is   are   do   does

09 **Q** _____ they fast?

A No, _____ _____ .

10 **Q** _____ your parents have breakfast?

A Yes, _____ .

11 다음 동사의 -ing형을 만드는 방법이 <u>다른</u> 것을 고르세요.

① go   ② play
③ come   ④ buy

12 다음 빈칸에 들어갈 말로 알맞은 것을 고르세요.

Amy _____ _____ a box.
에이미는 상자를 나르고 있지 않다.

① isn't, carry
② aren't, carrying
③ aren't, carries
④ isn't, carrying

[13~15] 다음 그림을 보고, 주어진 단어를 이용하여 현재진행형 문장을 완성하세요.

13

The boy _____ _____ .
(run)
그 남자아이는 뛰고 있다.

14

Sam _____ _____ .
(stand)
샘은 서 있지 않다.

15

Q _____ Jim and Paul
_____ ? (swim)
짐과 폴은 수영하고 있니?

A Yes, _____ _____ .
응, 그래.

16 다음 밑줄 친 It의 쓰임이 다른 것을 고르세요.

① <u>It</u> is two o'clock.
② <u>It</u>'s my umbrella.
③ <u>It</u>'s not far from here.
④ <u>It</u>'s so cold outside.

17 다음 중 기수와 서수가 잘못 짝지어진 것을 고르세요.

① one - first
② eight - eighth
③ thirty - thirtyth
④ twelve - twelfth

18 다음 밑줄 친 부분을 바르게 읽은 것을 고르세요.

Today is <u>November 1, 2021</u>.

① first November, two thousand twenty one
② November first, two thousand twenty one
③ November first, two thousand twenty first
④ two thousand twenty one, November first

[19~20] 다음 빈칸에 들어갈 말로 알맞은 것을 고르세요.

19

Q _____ is your birthday?
A It's July 2nd.

① What ② When
③ Who ④ How

20

Q _____ is his cat?
A It's under the table.

① How ② What
③ Where ④ Whose

[21~22] 다음 빈칸에 들어갈 말이 다른 것을 고르세요.

21 ① _____ much is it?
② _____ is your name?
③ _____ does he want?
④ _____ is your favorite color?

22 ① What _____ you like?
② Where _____ they live?
③ When _____ it start?
④ How _____ I go there?

23 다음 밑줄 친 부분이 올바른 것을 고르세요.

① Who <u>is</u> the girls?

② <u>How's</u> your name?

③ What <u>do</u> you like?

④ What <u>is</u> you watching?

[24-26] 다음 보기에서 알맞은 말을 골라 빈칸에 쓰세요.

<보기> bright   brightly

many   much

24 Judy is smiling _____.

25 I don't have _____ money.

26 We need _____ friends.

27 다음 중 형용사와 부사가 <u>잘못</u> 짝지어진 것을 고르세요.

① easy - easily

② hard - hardly

③ kind - kindly

④ sad - sadly

[28~30] 다음 그림을 보고, ( ) 안에서 알맞은 것을 고르세요.

28

The dog is (on / under) the table.

29

My birthday is (at / on) April 17th.

30

The bus driver is (at / in) the bus stop.

틀린 문제가 어느 챕터에 해당하는지 확인하고, 복습해보세요.

정답과 해설 p.27

1	2	3	4	5	6	7	8	9	10
Ch1	Ch1	Ch1	Ch1	Ch1	Ch1	Ch2	Ch2	Ch2	Ch2
11	**12**	**13**	**14**	**15**	**16**	**17**	**18**	**19**	**20**
Ch3	Ch3	Ch3	Ch3	Ch3	Ch4	Ch4	Ch4	Ch5	Ch5
21	**22**	**23**	**24**	**25**	**26**	**27**	**28**	**29**	**30**
Ch5	Ch5	Ch5	Ch6	Ch6	Ch6	Ch6	Ch7	Ch7	Ch7

FINAL TEST 2회

[01~02] 다음 빈칸에 들어갈 말로 알맞은 것을 고르세요.

01

It is _____ dog.

① I   ② we

③ his   ④ she

02

The gloves are _____.

① I   ② my

③ your   ④ mine

[03~05] 다음 밑줄 친 부분을 바르게 고쳐 쓰세요.

03

These are my cat.

→ _____

04

These are her umbrella.

→ _____

05

The watch is him.

→ _____

06 다음 중 **틀린** 문장을 고르세요.

① We aren't singers.

② He is not at home.

③ Is they your friends?

④ It is her new car.

07 다음 중 동사원형과 3인칭 단수형이 잘못 짝지어진 것을 고르세요.

① go - goes   ② cry - crys

③ have - has   ④ wash - washes

08 다음 밑줄 친 부분이 올바른 것을 고르세요.

① She have lunch at 12 o'clock.

② My cousin go to school.

③ He reads books every day.

④ Oliver play computer games.

09 다음 빈칸에 들어갈 말이 바르게 짝지어 진 것을 고르세요.

• Jen and I _____ speak Chinese.

• _____ Betty live in Busan?

① doesn't - Do

② don't - Do

③ doesn't - Does

④ don't - Does

10 다음 밑줄 친 부분이 잘못된 것을 고르세요.

① Jake <u>is walking</u> to school.

② My brother <u>is buying</u> bread.

③ I <u>am not watching</u> a movie.

④ Sally and I <u>aren't siting</u>.

11 다음 중 짝지어진 대화가 어색한 것을 고르세요.

① **Q** Is Jeremy singing?

 A Yes, he is.

② **Q** Are you cutting paper?

 A No, I'm not.

③ **Q** Is your mom cooking?

 A No, it isn't.

④ **Q** Are they drinking coffee?

 A Yes, they are.

12 다음 빈칸에 들어갈 말로 알맞은 것을 고르세요.

The girl _____ _____ a sandwich.

그 여자아이는 샌드위치를 만들고 있다.

① is makeing ② are making

③ is making ④ are makking

[13~15] 다음 그림을 보고, ( ) 안에서 알맞은 것을 고르세요.

13

Today is Tony's (twelve / twelfth) birthday.

14

My sister is (eight / eighth) years old.

15

The Chinese restaurant is on the (nineth / ninth) floor.

16 다음 중 숫자 표현을 <u>잘못</u> 읽은 것을 고르세요.

① 6시 50분: six fifty

② 1990년: nineteen ninety

③ $425: four hundred twenty-five dollars

④ 2010년 4월 12일: two thousand ten, April twelfth

17 다음 빈칸에 공통으로 들어갈 말로 알맞은 것을 고르세요.

• What time is _____?

• _____ is sunny.

① this[This]　② these[These]

③ it[It]　④ that[That]

[18~20] 우리말에 맞게 빈칸에 알맞은 '의문사 +be동사'를 쓰세요.

18 그의 생일은 언제니?

→ _____ _____ his birthday?

19 너는 무엇을 하고 있니?

→ _____ _____ you doing?

20 네 남동생은 어떠니?

→ _____ _____ your brother?

21 다음 대답에 알맞은 의문문을 고르세요.

Q _____

A She goes by bus.

① Where does she live?

② What does she do?

③ When does she go to school?

④ How does she go to school?

22 다음 빈칸에 들어갈 말이 바르게 짝지어진 것을 고르세요.

• _____ glasses are they?

• How _____ he learn English?

① What - do　② Who - does

③ Whose - do　④ Whose - does

[23~24] 다음 밑줄 친 형용사의 쓰임이 나머지와 <u>다른</u> 것을 고르세요.

23 ① It is a <u>cute</u> doll.

② I have <u>long</u> hair.

③ The food is <u>good</u>.

④ This is her <u>new</u> notebook.

24 ① The shoes are <u>new</u>.

② The pencil isn't <u>long</u>.

③ My friend is <u>pretty</u>.

④ I like <u>rainy</u> days.

25 다음 문장을 바꿔 쓸 때, 빈칸에 들어갈 말로 알맞은 것을 고르세요.

> Joey is a good singer.
> → Joey sings _____.

① good   ② well
③ very   ④ goodly

[26~28] 우리말에 맞게 주어진 단어를 이용하여 문장을 완성하세요.

26 Sam(샘)은 아침 일찍 일어난다.

➡ Sam wakes up _____ in the morning. (early)

27 이것은 나의 새 자전거이다.

➡ This is _____ _____ _____. (my, bicycle, new)

28 그 아이는 행복하게 미소 짓고 있다.

➡ The kid is smiling _____. (happy)

[29~30] 다음 그림을 보고, 보기에서 알맞은 전치사를 골라 빈칸에 쓰세요.

<보기>   in   at   next to

29

She is standing _____ her dog.

30

Alex goes to bed _____ 10 o'clock.

틀린 문제가 어느 챕터에 해당하는지 확인하고, 복습해보세요.   정답과 해설 p.28

1	2	3	4	5	6	7	8	9	10
Ch1	Ch1	Ch1	Ch1	Ch1	Ch2	Ch2	Ch2	Ch2	Ch3
11	12	13	14	15	16	17	18	19	20
Ch3	Ch3	Ch4	Ch4	Ch4	Ch4	Ch4	Ch5	Ch5	Ch5
21	22	23	24	25	26	27	28	29	30
Ch5	Ch5	Ch6	Ch6	Ch6	Ch6	Ch6	Ch6	Ch7	Ch7

① 구문 　판매 1위 '천일문' 콘텐츠를 활용하여 정확하고 다양한 구문 학습

(끊어읽기) (해석하기) (문장 구조 분석) (해설·해석 제공) (단어 스크램블링) (영작하기)

② 문법·서술형 　쎄듀의 모든 문법 문항을 활용하여 내신까지 해결하는 정교한 문법 유형 제공

(객관식과 주관식의 결합) (문법 포인트별 학습) (보기를 활용한 집합 문항) (내신대비 서술형) (어법+서술형 문제)

③ 어휘 　초·중·고·공무원까지 방대한 어휘량을 제공하며 오프라인 TEST 인쇄도 가능

(영단어 카드 학습) (단어 ↔ 뜻 유형) (예문 활용 유형) (단어 매칭 게임)

④ 선생님 보유 문항 이용

cafe.naver.com/cedulearnteacher

쎄듀런 학습 정보가 궁금하다면?

쎄듀런 Cafe

· 쎄듀런 사용법 안내 & 학습법 공유
· 공지 및 문의사항 QA
· 할인 쿠폰 증정 등 이벤트 진행

(Online Test) (OMR Test)